To my children, Juliet, Gabriel, Ethan, Luke, and Max, who teach me something new every day;

to my fearless editors and tireless supporters Pedro Alejandro Hernández and Bill Tiffany;

and to Rosemary, my wife, my friend, my inspiration.

A mis hijos Juliet, Gabriel, Ethan, Luke, and Max, quienes me enseñan algo nuevo todos los días;

a mis valientes editores e incansables apoyadores Bill Tiffany y Pedro Alejandro Hernández;

y a Rosa María, mi esposa, mi amiga, mi inspiración.

Uncomfortable
Vecinos
Neighbors
Incómodos

Cultural Collisions between Mexicans and Americans

Choques culturales entre mexicanos y americanos

James V. Tiffany

To order copies of this book:
El Mundo Communications, Inc.
P. O. Box 2231
Wenatchee, WA 98807
(509) 663-5737
(509) 663-6957 FAX
elmundo1@nwi.net

Printed by Gorham Printing
Rochester, Washington
www.gorhamprinting.com

ISBN: 0-9728932-0-2
Library of Congress Control Number: 2003090828

This book is for
   Mom, Paul, and Terry;
   Rosa María, Norma, and Luz;
   Ricardo, Andy, and Rogelio;
   the other Ricardo, Tomás, and Martín;
   Mighty Mike, Jorge, and Pete;
   Luis, Juan, and Ralph;
mighty warriors all. I am humbled by your examples.

This book is also for Arturo and Leo, who've gone on before us. We'll light candles on the Day of the Dead so you can find your way back for a visit.

Este libro es para
   Mamá, Pablo y Terry;
   Rosa María, Norma, y Luz;
   Ricardo, Andrés, y Rogelio;
   Tomás, el otro Ricardo, y Martín;
   Mighty Mike, Jorge, y Pete:
   Don Luis, Juan, y Ralph;
todos poderosos guerreros. Siento humildad ante sus grandes ejemplos.

Este libro también es para Arturo y Leo, quienes se nos adelantaron en su viaje final. Les prenderemos unas velas el Día de los Muertos para que les iluminen el camino cuando vengan de visita.

Vecinos Incómodos

Estas reflexiones aparecieron originalmente como artículos publicados en El Mundo, el semanario en español del estado de Washington. Por ello son breves, así que concédanos el beneficio de la duda si no cubren todos los aspectos del tema. Esperamos que la colección entera tenga el efecto de mejorar el entendimiento entre los "vecinos incómodos".

Los estudiosos de idiomas notarán que las versiones no son exactamente iguales, aunque se ha hecho un esfuerzo por mantener una buena aproximación. La razón es que no se trata de traducciones, sino de creaciones bilingües del mismo autor.

Reconocemos que es peligroso hablar del "mexicano" y el "americano"; pues existen muchas excepciones, y de ninguna manera estamos hablando de *todos* los mexicanos ni de *todos* los americanos.

No obstante lo anterior, es seguro que habrá crítica por nuestro uso de estereotipos. Sin embargo, eso es lo que hace la gente todos los días. Estos ensayos fueron escritos al "nivel de la calle", donde las creencias generales de la gente posiblemente no sean identificadas como estereotipos erróneos. Nuestra esperanza es que el análisis abierto de estas creencias generales ayudará a revelarlas por lo que son.

En todo estereotipo existe un grano, grande o pequeño, de la verdad. No tengamos temor de examinar estereotipos, aprender lo posible de ellos, y dejar de lado lo demás. Esperamos hacer esto en las páginas que siguen.

Reconocemos que todos los residentes de las Américas son "americanos"; sin embargo, usamos el término aquí como lo usa la mayoría de nuestros vecinos mexicanos, para señalar al "estadounidense anglosajón".

Por cuestión de brevedad utilizamos el molesto pronombre masculino, cuando en verdad queremos decir "él y/o ella". Como editor, espero que nuestros idiomas puedan desarrollar un nuevo pronombre que incluya a ambos.

Uncomfortable Neighbors

The following reflections originally appeared as a series of articles published in El Mundo, a Spanish language weekly newspaper in Washington state. We hope that, taken as a whole, these essays will contribute to understanding some of the issues between the "uncomfortable neighbors." They are necessarily brief, so give us a break if we don't cover all the bases at once.

Language students will note that the Spanish and English versions don't exactly match in places, although for the most part they're pretty close. That's because they're not really translations, but bilingual creations of the same author.

We realize that it is dangerous to speak of "Mexicans" and "Americans," since there are so many exceptions, and by no means do we speak of *all* Mexicans or *all* Americans.

Regardless of this disclaimer, we are certain to be criticized for stereotyping. However, that's what people do all the time. These essays are written at the "grass roots" level, where a common belief may not be recognized as an inaccurate stereotype. It is our hope that bringing these common beliefs out into the open will help to reveal them for what they are.

In every stereotype there is a grain, however small, of truth. We must not be afraid to examine stereotypes, learn what we can from them, and leave the rest. We hope to do that in the following pages.

We recognize that all residents of the Americas are "Americans;" however, we use the term here as do our Mexican neighbors, to indicate the "Anglo (Caucasian) resident of the United States."

For the sake of brevity we employ the troublesome male pronoun, when we mean "he and/or she." As an editor, I await the day when both of our languages come up with a new, inclusive pronoun.

"Wearing a Sombrero," *Art Explosion* clip art item.

En cuanto a estereotipos

Un estereotipo es una generalización que aplica a todos los miembros de un grupo. Los seres humanos tenemos la tendencia a generalizar y pensar en estereotipos. Por lo general eso está bien, y es hasta necesario. Si cierto tipo de bicho te pica, es probable que pienses que todos los bichos parecidos al primero también te picarán.

Los problemas asociados con los estereotipos ocurren mayormente cuando generalizamos sobre otras personas. En contraste con los bichos, las personas probablemente se sientan ofendidas cuando se piensa algo de ellas que no es cierto.

Cuando a mi esposa le preguntan, "¿De qué parte de México es usted?" ella responde: "Texas". Resulta que no todas las personas morenas que hablan español tienen vínculos con México, ni siquiera con Latinoamérica. Resulta que no todos los americanos negros son buenos atletas; no todos los americanos asiáticos son buenos estudiantes; no todos los indígenas americanos son ambientalistas; y no todos los mexicanos son morenos, chaparros, con la vista hacia el suelo.

La palabra clave en este asunto es "todos". Un estereotipo aplica a todos los miembros del grupo. Nos aproximamos al entendimiento cuando tomamos un estereotipo y lo convertimos en una pregunta, usando términos como "algunos", o "muchos".

"¿Está de acuerdo que muchos americanos negros son buenos atletas?" ¿Cree usted que muchos indígenas americanos sean ambientalistas?" "¿Por qué evitan mirarle a los ojos tantos mexicanos?"

¡Ahora sí! ¡Hemos convertido el estereotipo en una oportunidad de entendimiento!

Usamos los estereotipos todo el día. Así somos los seres humanos. Si aprendemos a identificarlos, entonces ganamos el control sobre ellos y les quitamos la capacidad de perjudicarnos.

El alcalde de Toronto, Canadá, comentó en una ocasión que los Juegos Olímpicos no deben jugarse en África, porque él no quería ser parte de los ingredientes de una sopa en una charola de los indígenas africanos. Este comentario fue más apropiado para el año 1850, y no el 2001, cuando se hizo. El Canadá perdió la oportunidad de ser sede de los Juegos Olímpicos como resultado del daño causado por la expresión de este estereotipo.

Algunos estereotipos son descontados por ser "inofensivos". Uno de éstos, en mi opinión, fue el perro de Taco Bell, un chihuahueño que apareció

On Stereotypes

A stereotype is a generalization that would apply to all members of a given group. Human beings have a natural tendency to generalize and think in stereotypes. Most of the time that's OK, and even necessary. If a certain bug bites you, then you'll probably assume that all bugs that look like the first one will bite you, too.

The problems we have with stereotypes usually happen when it's people we're generalizing about. Unlike bugs, people may be offended when you assume something about them that isn't true.

When my wife is asked, "What part of Mexico are you from?" she replies, "Texas." It turns out that not all brown people who speak Spanish have ties to Mexico, or even Latin America. It turns out that not all African Americans are good athletes; not all Asians are good students; not all Native Americans are environmentalists; and not all Mexicans are short, brown people with downcast eyes.

The operative word here is "all." A stereotype applies to every member of the group. We go a long way toward understanding when we take a stereotype, turn it into a question, and use qualifiers like "some," or "many."

"Do you agree that lots of African Americans are good athletes?" "Do you think that many Native Americans are environmentalists?" "Why do so many Mexicans avoid looking at you?"

Now we're talking! We've turned the stereotype into an opportunity for understanding!

We use stereotypes all day long. It's human nature. If we learn to identify them as such, then we gain power over them, and take away their ability to harm us.

The mayor of Toronto, Canada blurted out that the Olympic Games should not be held in Africa, because he didn't want to become part of the ingredients in a big cooking pot. This wasn't said in the year 1850, but in 2001. Canada was unable to overcome the damage done by this stereotype, and lost its bid to host the Olympic Games, probably for quite some time to come.

Some stereotypes we think of as "harmless." One such, in my opinion, was the "Taco Bell Dog" (a Chihuahua who appeared a few years ago in Taco Bell ads). Although there was some negative reaction in the beginning from Latino organizations, fearful that Taco Bell ads would degenerate into negative stereotypes, this did not happen. They did not give the dog a mustache or make it wear a sombrero. It was just a dog — an

hace unos años en anuncios de Taco Bell. Aunque al principio hubo una reacción negativa de organizaciones latinas, temerosas de que los anuncios llegaran a ser despectivos, no fue así. No le dieron ni bigote ni sombrero al perro. Fue sólo un perro, obviamente un perro latino que hablaba perfectamente el español, sin acento exagerado, que hacía cosas de perros, no necesariamente cosas de latinos.

Sin embargo, mi esposa no estuvo de acuerdo, pues odiaba el perro de Taco Bell. "Es estúpido, chiquito, glotón, siempre hambriento, y debe representar a los mexicanos", dijo.

La lección: ¡Los estereotipos son poderosos y deben ser tratados con cuidado!

Otra lección es que sólo el grupo afectado debe decidir si un estereotipo es inofensivo o no. Deben ser latinos los que deciden sobre el perro de Taco Bell, y los demás debemos respetar su decisión.

Un rótulo con la cara de un joven indígena americano ha estado en el techo de un edificio en mi pueblo durante años. Cuando lo bajaron para repararlo, varias personas indígenas escribieron al periódico local para decir que ese rótulo era ofensivo y no debían instalarlo de nuevo. Otras personas también escribieron al periódico para decir que el rótulo era parte de la historia local y que debía instalarse porque no era ofensivo. Pero estas otras personas no fueron indígenas. ¿Cómo sabían que el rótulo no era ofensivo? ¡Esta decisión la tendrían que haber tomado las personas afectadas!

El rótulo fue reinstalado y hasta hoy día permanece allí.

Los estereotipos tienen el poder de apartarnos. Al ganar control sobre los estereotipos, también ganamos la oportunidad de mejorar nuestro entendimiento de unos y otros y acercarnos.

"Mexican Man," *clip art* del
catálogo *Art Explosion*.

undeniably Latino dog, that spoke very good Spanish, with no phony, exaggerated accent — doing doggy — not necessarily Latino — things.

My wife did not agree. She hated the Taco Bell Dog. "It's stupid, little, bug-eyed, greedy, always hungry, and it's supposed to represent Mexicans," she said.

The lesson: stereotypes are powerful and must be treated with caution!

Another lesson is that only the affected group should make the decision about whether a given stereotype is harmless or not. It should be up to Latinos to decide on the Taco Bell Dog; and the rest of us should respect their decision.

A sign in the shape of a young Native American has been on the top of a building in my home town for many years. When it was taken down temporarily, several Native Americans wrote to the newspaper to say it should stay down, because they thought it was offensive. Others wrote in to say it was historical and should go back up, that it was not offensive. But these others were not Native Americans. How did they know it was not offensive? This is a decision for the affected group to make!

The sign was put back up and remains there today.

Stereotypes have the power to keep us apart. Gaining control over stereotypes gives us a better chance to understand each other, and to move us closer together.

The "Skookum Indian," of
Wenatchee, Washington.

Las etapas de adaptación cultural

La comunidad latina en los Estados Unidos no es un grupo homogéneo. El Censo de los Estados Unidos indica que latinos son miembros de un grupo étnico, no racial. Latinos americanos representan todas las razas y hablan una variedad de idiomas. De hecho, millones de ellos no hablan español.

En el proceso de adaptarse a la cultura de la sociedad anglo, surgen conflictos y enfrentamientos dolorosos entre los padres inmigrantes, quienes muchas veces se aferran a sus costumbres natales, y sus hijos, quienes se adaptan y aceptan costumbres diferentes con mayor facilidad.

Una reciente (2001) encuesta patrocinada por el Washington Post, la Kaiser Family Foundation, y Harvard University, encontró que el proceso de asimilación cultural ocurre en aproximadamente tres etapas, las cuales corresponden a tres grupos mayores de inmigrantes: los "recién llegados" y otros que permanecen arraigados en su cultura original; los "bi-culturales", que han adoptado algunos aspectos de ambas culturas; y los "mayormente asimilados", cuyas actitudes y creencias reflejan aquéllas de la sociedad angloamericana.

Esta agrupación parece tener mayor sentido que el concepto tradicional de "generaciones", en donde se trata de distinguir las características de inmigrantes de primera, segunda y tecera generación. Muchos latinos de primera y segunda generación, por ejemplo, pueden ser incluidos en el grupo de "recién llegados", si todavía no hablan inglés, mantienen sus costumbres originales, todavía no son ciudadanos americanos, etc. Por el otro lado, algunos latinos de primera generación serían incluidos en el grupo "bi-cultural", si aprenden inglés, se adaptan fácilmente, participan en la comunidad, etc.

La encuesta encontró que aproximadamente el 25% de latinos en los Estados Unidos pretenecen al tercer grupo, "mayormente asimilados", o "adaptados". Sus miembros hablan bien el inglés y son capaces de participar en todos aspectos de la vida americana. Sin embargo, aunque "adaptados", muchos miembros de este grupo mantienen fuertes lazos con su cultura original y se sienten marginados de la sociedad anglosajona. Hasta la mitad de latinos de tercera generación dicen que tienen "poco en común" con anglos.

Cada uno de estos grupos merece atención por su propia cuenta. Aunque las distinciones a veces son cuestionables y mucha gente puede tener características de dos o más grupos, el agrupamiento es útil para el

The Stages of Cultural Adaptation

The Latino community in the United States is most definitely not a homogeneous group. As indicated by the U.S. Census, Latinos are members of an ethnic, not racial, group. American Latinos are of all races and speak many different languages. Millions of them, in fact, do not speak Spanish.

As American Latinos go through the stages of cultural adaptation in a predominantly Anglo society, we witness painful confrontations and misunderstandings between parents, who often hold on to the cultural values of their homeland, and their children, who more rapidly adapt and adopt different ways.

A recent (2001) survey of Latinos conducted by the Washington Post, the Kaiser Family Foundation, and Harvard University, suggests that the process of cultural assimilation may occur in roughly three stages, corresponding to three major groups of immigrants: the "recent arrivals" and others who remain rooted in the original culture; the "bi-culturals," who have adopted some of the traits of both cultures; and the "mostly assimilated," whose attitudes and beliefs reflect those of mainstream American society.

This grouping would seem to make more sense than the traditional "generations" approach to the subject, where we try to describe the characteristics of first-, second-, and third-generation Latinos. Many first- and some second-generation Latinos may be included in the "recent arrival" group, for example, if they still don't speak English, hold fast to traditional roles, still aren't American citizens, etc. Some first-generation Latinos, on the other hand, would be included in the "bi-cultural" group, if they learn English, adapt quickly, participate in the community, etc.

The survey found that about 25% of Latinos in the United States fall into the third group, "mostly assimilated," or "adapted." Its members are fully functional in English and capable of participating in the full range of mainstream American life. Although "adapted," however, many in this group maintain strong ties to their original culture and still feel "outside" of the mainstream. Fully half of third-generation Latinos say they have "little in common" with Anglos.

Each of these groups is sufficiently different to merit a treatment of its own. As with any grouping of people, there is plenty of "gray area" and overlap among them. There remains, however, enough distinction among them for it to be a useful approach to understanding the American Latino.

The survey found that the first group, the "recent arrivals" (or "arrival"

estudio del latino en los Estados Unidos.

La encuesta encontró que el primer grupo, los "recién llegados" (o "llegados", puesto que algunos de sus miembros pueden haber vivido en los Estados Unidos por largo tiempo), componen la mitad de todos los latinos en los Estados Unidos. La mayoría de ellos nacieron en el extranjero, hablan español (u otro idioma indígena), no son ciudadanos americanos, y tienen un promedio de unos nueve años de educación. Alrededor de dos tercios de ellos son mexicanos.

Aunque latinos de otros grupos verán similaridades aquí, este libro se trata de mexicanos "recién llegados", el mayor grupo de inmigrantes en los Estados Unidos. No se trata de sus hijos, los chicanos, ni de cubanos, puertorriqueños, u otros inmigrantes. Ésas son otras historias, mejor relatadas por otros.

group, since some of its members may have lived in the United States a long time), comprise about half of all Latinos in the United States. Most of them were born in foreign countries, speak Spanish (or an indigenous language), are not American citizens, and have an average of about 9 years of education. About two-thirds of them are Mexicans.

Although Latinos from many different groups will see similarities here, this book is about "arrival" group Mexicans, the largest immigrant group in the United States. It is not about their children, the Chicanos, nor about Cubans, Puerto Ricans, or other immigrants. Those are different stories, better told by others.

Contenido

Content

Contenido

Content

Chapter 1
Capítulo 1

Mexicans and Americans
Mexicanos y Americanos

In all the world the American has only two next-door neighbors: The Canadian and the Mexican. The American gives Canadians a break because he senses that they're "more like him;" but Mexicans are another story. Americans and Mexicans have a long history of conflict and misunderstanding; a love/hate relationship that anyone with a troublesome neighbor or relative will recognize.

Oh would some Power the gift give us
to see ourselves as others see us!
—*Robert Burns*

In Chapter 1 we explore how the Uncomfortable Neighbors see each other.

En todo el mundo el americano sólo tiene dos vecinos cercanos: El canadiense y el mexicano. El americano siente mayor simpatía por el canadiense porque piensa que éste es "más como él"; pero el mexicano es otra cosa. Americanos y mexicanos tienen una larga historia de conflictos y malentendidos; una relación de amor y odio que cualquier persona que tenga un vecino o familiar problemático reconocerá.

¡Oh, que algún Poder el don nos diera
de vernos así como otros nos vieran!
—*Robert Burns*

En el Capítulo 1 exploramos cómo se ven los vecinos incómodos uno al otro.

El problema de los términos

"¿Cómo les debo llamar? ¿Son mexicanos, chicanos, hispanos, latinos, o qué?

Comienzo con la advertencia de evitar "Spanish" para referirse a la gente; pues hay pocos residentes españoles en comparación a los latinoamericanos. "Spanish" es su idioma, pero no son ellos.

Años atrás, a casi todos los latinos se les llamaba "Mexicans", aunque muchos no lo eran. El problema se ponía aun más complicado por el hecho de que los mismos chicanos muchas veces se denominaban "Mexicans", sin serlo.

Les digo a mis compatriotas americanos que deben evitar el uso de "Mexican", a menos que se trate de una persona nacida en México. Es fácil ofender a mis amigos salvadoreños, sólo con llamarles "mexicanos"; por eso hay que tener cuidado.

"Mexican-American", según encuestas, es el término más favorecido por los residentes de ascendencia mexicana en Estados Unidos.

Muchos preguntan qué significa el término "chicano". Los medios de comunicación mexicanos usan el término "chicano" para señalar a la persona nacida en Estados Unidos de ascendencia mexicana. Sin embargo, muchos mexicanos de mi generación (es decir, de edad "madura"), consideran que este término es despectivo y no les gusta ser identificados así.

Por lo general, los jóvenes, estudiantes e intelectuales favorecen el término "chicano", el cual es muy común en las universidades. El problema es que es un término exclusivo. No pueden ser chicanos los salvadoreños ni otros latinoamericanos. Por eso se escucha "chicano/latino", como si fuera una palabra, para incluir a todos.

En los últimos años se ha dado un conflicto sobre el uso de "hispano", por ser un término referente a España, según el diccionario. Sin embargo, el término sigue en uso en muchas partes de la nación, a pesar de las quejas de estudiantes e intelectuales que abogan por el uso de "latino".

"Latino" no se refiere a "latín", sino a "latinoamericano"; así que los italianos no son latinos, sino los argentinos, guatemaltecos, mexicanos, y otros de ascendencia latinoamericana.

Parece que "latino" está ganando la batalla de los términos, pues ya es más usado que "hispano" en ciertas partes. Sin embargo, como todos los términos, "latino" también tiene sus problemas. Existen unos 13 millones de mexicanos que no hablan español, sino una variedad de idiomas

The problem with labels

"What should I call them? Are they Mexicans, Chicanos, Hispanics, Latinos, or what?"

First, we warn people to avoid the term "Spanish," which many Americans use to refer to Latinos. While Spanish is their language, few of them are native to Spain.

Years ago, Latinos were often referred to as "Mexicans," regardless of their origins. This is still true today along the Mexican border, where the problem is compounded by American Chicanos who often refer to themselves as Mexicans.

Also, there are many non-Mexican Latinos in the United States, proud of their origins, who don't appreciate being identified as Mexicans. We should avoid the use of *Mexican*, unless we know for sure that we're talking about a Mexican national.

Approximately two-thirds of the American Latino population consists of people of Mexican descent. Surveys show that two-thirds of this group prefers to be identified as "Mexican-American."

There is some confusion surrounding the use of the term "Chicano," since some Chicanos object to the use of it. The Media in Mexico uses *Chicano* to identify the person born in the United States of Mexican ancestry. It is an objective term that carries no implications.

However, many Chicanos (usually older people) feel that *Chicano* is a disparaging term, associated with the upheavals of the '60's, and don't like to be identified as such.

For the most part, young people, students, and intellectuals favor the term *Chicano,* which is still in general use in university settings. The problem with *Chicano* is that it's an exclusive term. My Salvadoran and other Latin American friends can never be Chicanos. That's why we now hear "Chicano/Latino," said as a single word, to include all Latinos.

In recent years we've seen a conflict arise over the term, "Hispanic," defined as "of or pertaining to Spain." American Latinos, not "pertaining to Spain," object to the term on those grounds. They also claim that the term gained popular usage after the Census of 1980, when the government used it to identify them.

Hispanic continues in general use in many parts of the country, in spite of the objections of students and intellectuals who advocate for the term *Latino*.

indígenas. Ellos dirían que no son latinos, aunque sí son mexicanos. En algunos países andinos, más del 50% de la población no es latina.

Sin embargo, los agrupamos a todos y les decimos "latinos" o "hispanos". Por eso hay que tener cuidado cuando usamos estos términos; hay muchas excepciones.

La revista "Hispanic Magazine" en una ocasión hizo una encuesta sobre el uso de los términos "hispano" y "latino". El interesante resultado fue que los jóvenes y los demócratas tienden a favorecer el término "latino"; mientras que las personas de mayor edad y los republicanos tienden a favorecer "hispano".

¿"Latino" o "hispano"? En este momento parece que hay empate; aunque todo indica que "latino" será el ganador en el futuro.

El asunto de los títulos es complicado, y no sólo del lado latino. El "angloamericano" o "anglosajón" es una persona de ascendencia inglesa. Los millones de americanos blancos de ascendencia italiana, alemana, etc., no pueden ser "anglos"; sin embargo, los agrupamos a todos y así les llamamos.

"A mí no me digan 'anglo'", advierte mi madre de 90 años, para el desconcierto de nuestro vecino mexicano; pues ella es blanca, de ojos azules; ¿cómo puede no ser anglo? "Mi gente fueron todos irlandeses; no tenemos nada que ver con los anglos — los ingleses", dice ella.

Nuestra conclusión: ¡Cuidado con los términos generales para la gente! Para evitar problemas, sencillamente pregúntele a su vecino cuál término prefiere.

Latino does not refer to *Latin*, but to *Latinoamericano*. While we don't think of Italians as Latinos, we do include Guatemalans, Argentines, Mexicans and other Latin Americans. It appears that *Latino* is winning the battle of the labels, having replaced *Hispanic* in many areas. However, as with any label for people, *Latino* has problems.

What do we call Brazilians? How about Haitians? Jamaicans? There are about 13 million Mexicans who don't speak Spanish very well, but a variety of indigenous languages. They don't call themselves Latinos, although they are Mexicans. American Indians who are not Latinos make up a significant portion of many Latin American countries.

But Americans group them all together and call them *Latinos* or *Hispanics.* That's why it's dangerous to use labels for people; there are many exceptions.

Hispanic Magazine, obviously interested in the terms, conducted a survey of the use of *Hispanic* and *Latino* among its readers. An interesting finding was that younger people and Democrats tended to favor *Latino*, while older people and Republicans tended to favor *Hispanic*.

Hispanic or *Latino*? At this time is appears we have a tie; but *Latino* will probably be the winner in the future.

The problem of labels is complicated, and not only on the Latino side. The "Anglo American," or the "Anglo Saxon," (anglosajón, a popular term for white Americans), is a person of English descent. Millions of white Americans, with ancestors from Italy, Germany, etc., cannot be "Anglos." However, as a group, that's what they are called by Latinos.

"Don't you call me an 'Anglo,'" says my 90 year-old mother, to the consternation of our Mexican neighbor. She has fair skin, blue eyes, and her gray hair was once a flaming orange; how could she not be an "Anglo?"

"My people were pure Irish," she says. "We have nothing to do with the English."

Our conclusion: be careful with labels for people! We can avoid lots of problems if we simply ask our neighbor what terms he prefers.

¿Participación o autoridad?

Haciendo un repaso de los actuales gobiernos latinoamericanos, el estadounidense se da cuenta de que varios son autoritarios (o lo han sido en el pasado reciente), en comparación al gobierno suyo. El americano concluye que sus vecinos latinos prefieren ser serviles y no participantes dentro de sus sistemas de gobierno.

El gobierno mexicano también le parece autoritario. Apenas sale de una etapa de dominio sin precedentes de un sólo partido, el PRI, que duró unos 71 años. La herencia del PRI es un sistema centralizado de gobierno, donde casi todo es decidido –o si no decido, puede ser vetado- por el hombre fuerte en la punta.

El mexicano tradicional respeta la autoridad. Se impacienta ante largas discusiones entre varios participantes sobre algún plan o sistema. "¿Dónde está el jefe", se preguntaría, "para que nos diga qué hacer".

Hace unos años me invitaron a una reunión pública sobre la planificación del nuevo terreno de una escuela primaria local. Los oficiales del distrito escolar, todos americanos, quisieron escuchar las ideas de los padres de familia mexicanos en cuanto al diseño del nuevo edificio.

Después de largo rato, donde los oficiales explicaron las opciones de construcción según el contorno del terreno, pidieron opiniones del público, mayormente mexicano, que hasta ese momento había escuchado respetuosamente pero sin comentario alguno. Después de un silencio incómodo, se puso de pie un mexicano para decir: "Señores, creo que está muy bien que se construya una nueva escuela, donde ustedes quieran y como ustedes quieran hacerla. Yo por mi parte, estoy dispuesto a ayudar en lo que pueda. Si me dan un pico y una pala, les ayudo a preparar el terreno".

¡Qué bonito ejemplo de la diferencia entre los vecinos incómodos!

El americano, buscando ideas entre todos, incluyendo a los trabajadores, sobre cómo planificar la construcción y organizar el trabajo. El mexicano, dispuesto a ayudar, buscando al jefe que le diga qué hacer.

Para el americano, el "jefe" es el grupo; la mayoría manda. Para el mexicano, el jefe es una persona; la mayoría lo sigue.

El respeto a la autoridad es una característica de la cultura mexicana. El doctor, el licenciado, el ingeniero, el profesor, todos son respetados mucho más en México que en Estados Unidos, donde todo se cuestiona.

Los maestros de escuela dicen que pueden identificar fácilmente a

Participation or authority?

Reviewing the status of Latin American politics, the American notes the presence of several authoritarian systems and the continuing popularity of the Latin American "strongman" in government. The American concludes that Latinos prefer to be subservient rather than participatory in their governments.

The Mexican government also seems authoritarian, having recently emerged from a 72-year domination by one political party, the PRI. The heritage of the PRI is centralized government, where almost everything is decided (or can be vetoed) by the strongman at the top.

Traditional Mexico respects authority. There is little patience for long-term planning. The basic strategy of bureaucrats is to divine what the boss wants, and then do it.

A few years ago, I was invited to a public meeting at a local elementary school, where they were developing a plan for the new school grounds. The American school officials stated that they wanted to hear ideas from Mexican parents about the possible design of the new school and playground.

After a long explanation of construction and layout options, using interpreters, school officials asked for reactions from the Mexican parents, who had listened respectfully without comment. After a lengthy and uncomfortable silence, a Mexican man stood up to say, "Sirs, I think it's great that you want to build a new school, however and wherever you want to do it. For my part, I'm willing to help with whatever I can. If you'll give me a pick and shovel, I'll help you prepare the ground."

A perfect example of the difference between the uncomfortable neighbors!

The American, seeking out ideas, even from the workers, about planning the construction and organizing the work. The Mexican, willing to help, seeking out the boss to tell him what to do.

To the American, the boss is the group; the majority rules. To the Mexican, the boss is a person; the majority follows him.

Respect for authority is characteristic of Mexican culture. The doctor, lawyer, engineer, and teacher are respected much more in Mexico than in the United States, where everything, and everyone, is challenged.

Teachers say they can easily identify children recently arrived from Mexico, because they completely respect their authority in the classroom,

los niños recién llegados de México, porque son los que más respetan su autoridad dentro del salón de clase. Sus padres también respetan la autoridad del maestro y de los oficiales escolares.

Ahora bien, ¿qué pasa cuando la escuela invita a los padres mexicanos a participar en asuntos escolares?

"Los mexicanos casi no participan en los comités de padres; casi no participan en eventos de recaudación para la escuela; y casi no votan para elegir a las directivas escolares", dice una vecina americana. "Esto comprueba que a los mexicanos no les importa la educación de sus hijos".

¿Será?

No creo. El mexicano viene de otro sistema, donde no se espera que participe en nada; donde debe apoyar a la autoridad escolar; y donde no existen "directivas escolares" locales. "Yo no quiero tener a padres de familia dentro de mi salón de clase", me dijo hace unos años un maestro de sexto año en una escuela de Zacatecas. "Ellos no saben nada sobre la educación; aquí yo soy el que mando, y es para bien de los niños".

Aunque esto está cambiando, y en varios lugares grupos de padres hacen proyectos para sus escuelas locales, nuestro amigo de Zacatecas expresó un sentimiento bastante generalizado.

El mexicano llega a los Estados Unidos, se establece y manda sus hijos a la escuela local. Cuando la escuela le pide que "participe", se confunde un poco. "¿Por qué siempre andan pidiendo que participe yo?" preguntó un amigo mexicano. "Si ellos son las autoridades, ¿por qué no se encargan de educar a mis hijos y ya?"

La percepción del americano es que a su vecino mexicano no le importa mucho la educación de sus hijos. Pero no es cierto. Sí le importa. Lo que pasa es que el mexicano viene de donde se usa otro sistema, donde se respeta más a la autoridad, incluyendo a la autoridad escolar, y donde no se espera su participación.

and their parents respect the authority of teachers and school officials.

What happens when the school encourages Mexican parents to participate in school activities?

"Mexican parents hardly participate in the PTA, they don't participate in fund-raising for the school, and they don't vote in school board elections," said one American friend. "This proves that they aren't very interested in the education of their children."

But things aren't that simple. Mexicans come from a different system, where their participation as parents is neither welcomed nor expected, where school authorities are respected as members of a national education system, and where local school boards don't exist.

"I don't want parents in my classroom," said a sixth-grade teacher I visited a few years ago in Zacatecas. "Parents don't know anything about education. I'm the one in charge here, and that's for the good of the children." Although this is changing in parts of Mexico, and parent groups often get together to raise funds for their local schools, our teacher friend in Zacatecas expressed a pretty common feeling.

The Mexican immigrant sets up his home in the United States and sends his children to the local school. When he is asked by the school to "participate," he gets a little confused.

"Why are they always asking me to participate?" asked a Mexican friend. "They're the authorities; they should know what to do. Why don't they just educate my children and leave me alone?"

The American's perception is that his Mexican neighbor isn't very interested in the education of his children. But that's not true. He's very interested. What happens is that he comes from a different system, where authority, including school authority, is respected, and where he's not expected to participate.

¿Dictador o acomodador?

El mexicano, con mucha experiencia de vida dentro de un sistema autoritario, no está muy acostumbrado al alto grado de participación ciudadana que existe en los Estados Unidos. Esto da lugar a la percepción errónea del americano, de que al mexicano simplemente no le interesa participar.

Otro aspecto del asunto es la percepción del mexicano sobre sus patrones, mayordomos, y otros "jefes" americanos. Ya vimos que el mexicano respeta la autoridad, y espera que sus jefes sean fuertes y decisivos. ¿Qué pasa cuando llega a los Estados Unidos, donde los jefes fuertes y decisivos son vistos con malos ojos, por ser "antidemocráticos"?

Los programas de entrenamiento para supervisores americanos hacen hincapié en la acomodación; el supervisor americano debe "acomodar" los intereses de sus empleados con los deberes del trabajo para mejorar la producción de la empresa. Se trata de animar y convencer a los empleados; no de dar órdenes.

"A mí no me gusta que los patrones me hagan preguntas", comentó un amigo mexicano, "pues son los encargados; deben saber las respuestas. Cuando me preguntan algo a mí sobre el trabajo, es porque no lo saben ellos y no son buenos patrones".

Pero el americano no ve las cosas así.

"Hacerle preguntas a los trabajadores mexicanos es buena práctica, aunque uno ya sepa las respuestas", dijo un mayordomo americano, "porque así les hacemos saber que nos interesan sus ideas y valoramos su participación".

El mexicano espera que el mayordomo sea un jefe autoritario; pero el americano cree que el jefe debe ser "acomodador" en vez de dictador. Como resultado, el mexicano cree que el jefe americano es una persona débil y sin conocimiento de su propia empresa. Le vuelve loco la facilidad con que el supervisor americano usa términos indefinidos como *I don't know* y *maybe*.

"¿Qué pasa, jefe? ¿Vamos a trabajar el sábado"?

"I don't know; maybe we should. We'll see".

En este caso, el trabajador mexicano ha de pensar que su jefe americano no sabe nada y no debe ser el jefe. Pero lo que está pasando es que el americano está involucrando al mexicano en la decisión; está invitando su comentario.

Dictatorial or participatory?

The Mexican, coming from a centralized, authoritarian system, is unaccustomed to the higher degree of citizen participation that is expected in the United States. This gives rise to the misconception among Americans that Mexicans aren't interested in participating.

The Mexican respects authority, and he expects his bosses and supervisors to be strong and decisive. What happens when he comes to the United States, where strong, decisive supervisors may be criticized for being "dictatorial" or "undemocratic?"

Modern training programs for American supervisors emphasize accommodation. The supervisor should accommodate the personal interests of employees with the duties of the job to meet the production needs of the employer. It's about encouraging and convincing employees; not about giving orders.

However, "I don't like for my supervisors to ask me questions," said a Mexican friend. "They're in charge, they should know the answers. When they ask me something about work, it's because they don't know, and they're not very good supervisors."

But Americans don't see it that way.

"Asking our Mexican employees questions is a good idea, even when we know the answers," said an American supervisor, "because that way, we let them know we're interested in their ideas and we value their participation."

The Mexican expects the boss to be authoritative; but his American neighbor thinks that the boss should be an accommodator, not a dictator. The Mexican concludes that the American boss is a weak person who doesn't know much about his own company.

The Mexican employee is driven crazy by the American supervisor's constant use of indefinite terms, like *I don't know*, and *maybe*.

"What's up, boss? Do we work on Monday?"

"I don't know; maybe we should; we'll see."

The Mexican employee is likely to think that his American supervisor doesn't know anything and shouldn't be the boss. But what's really happening is that the American is involving the Mexican in making the decision; he's inviting participation.

Of course there are lots of exceptions here. There are plenty of authoritative American bosses who are not up on the latest management

Por supuesto que existen muchos supervisores autoritarios que no están al tanto de todo esto. En particular, la industria agrícola cuenta con mucha gente que no tiene el entrenamiento apropiado para ser supervisores. Muchos hijos de rancheros, por ejemplo, están encargados de trabajadores que saben mucho más que ellos y serían mejores para los trabajos de supervisión.

También tenemos muchos ejemplos de mayordomos que no tienen ni la educación ni el entrenamiento para hacer bien el trabajo de supervisión. Esta gente a veces recurre al autoritarismo para encubrir su falta de preparación.

Lo cierto es que los jefes americanos que recurren al autoritarismo y que no tratan con respeto a sus trabajadores, están fuera de lo aceptable según su propia cultura americana. El supervisor "acomodador" es mucho más común, y va ganando espacio. Para nuestros vecinos mexicanos, es importante reconocer el estilo del supervisor, y recordar que, en el caso del supervisor "acomodador", no se trata de una persona débil sino de un supervisor que trata de valorar y respetar a sus empleados.

techniques. The agricultural industry in particular seems loaded with un-qualified supervisors, with lots of family-owned operations, where the American owner's son may be supervising Mexican employees who may know far more than he does about the operation.

We also have lots of examples of supervisors who lack the education and training necessary to be good at their jobs. These people sometimes resort to becoming authoritarian dictators as a way to cover their own shortcomings.

However, authoritarian bosses who disrespect their employees are out of step with their own American culture, in which the "accommodators" are gaining ground. It's important for our Mexican neighbors to understand the style of the supervisor, and remember that the "accommodating" type is not necessarily a weak person, but may be trying to value and respect his employees.

¿Fatalista o controlador?

Se dice que el mexicano es "fatalista", o sea que acepta lo que pasa y se resigna fácilmente a los hechos sin ofrecer resistencia. Por el otro lado, se dice que el americano es "controlador", o sea que no se resigna fácilmente y trata de afectar los resultados a su favor.

"Nos vemos mañana", dice el americano. "Si Dios quiere", responde su vecino mexicano.

El americano tiene un enfoque hacia el futuro. Es buen ahorrador. Sabe posponer su recompensa si cree que habrá una mejor recompensa en el futuro.

El mexicano tiene un enfoque hacia el pasado y el presente. Sólo Dios se encarga del futuro. "Primero Dios". ¿Por qué ahorrar cuando el futuro es tan incierto?

> En México preferimos improvisar en vez de planificar. La planificación no es practicada sistemáticamente ni es tomada en serio. Los mexicanos somos más "reactivos" que "proactivos".
>
> La mayoría de los mexicanos (siete de cada diez) preferimos vivir "día a día", y sentimos gran incertidumbre hacia el futuro. Estamos orientados hacia el pasado y el presente. Apreciamos el momento actual.
> — Federico Reyes Heroles, *Este País*, Agosto, 1993

El mexicano es bueno para aceptar la realidad, a veces hasta cuando no se debe. Los trabajadores sociales relatan que muchas veces las familias mexicanas no piden ayuda del gobierno cuando deben, porque "Dios dispone".

El mexicano muchas veces acepta malos tratos de parte de un doctor, abogado, policía, u otro, porque "ni modo; así es la vida".

La cultura mexicana pone un alto valor al *aguante*. La persona que se queja sobre algo muchas veces recibe como respuesta: "¡Aguántese!" El mexicano aprecia mucho a la persona que sabe *aguantar*. El que no aguanta, es "chillón".

Pero el americano no ve las cosas así. El que no aguanta alguna decisión contraria o el maltrato y se pone a pelearlo, es considerado un "luchador", un "reformador". Lejos de ser considerado como "chillón", el

Fatalistic or controlling?

Americans say that Mexicans are "fatalistic," that they accept what happens and easily resign themselves to "fate" without resistance.

Mexicans say that Americans are "controlling;" that they don't resign themselves easily to anything and they try to manipulate things to their favor.

"We'll see you tomorrow," says the American. "Si Dios quiere (if God wills it)," responds his Mexican neighbor.

The American is focused on the future. He's a good saver. He'll postpone his reward if he knows that there'll be a greater one in the future.

The Mexican is focused on the past and the present. Only God knows the future. Why save anything when the future is so uncertain? "Primero Dios (God first)", is the automatic answer to anyone expressing a wish.

> In Mexico we prefer to improvise rather than plan. Planning is neither practiced systematically nor taken seriously. Mexicans are more "reactive" than "proactive."
>
> A majority of Mexicans (seven out of ten) prefer to live "day to day," and we feel a great uncertainty about the future. We are oriented to the past and present. We prize the moment.
> —Federico Reyes Heroles, *Este País*, Agosto, 1993

Mexicans are good at accepting what is, even when they shouldn't. Social Workers tell us of many instances where Mexican families refuse to request assistance, because "God decides."

Our Mexican neighbor will often accept poor treatment from a doctor, lawyer, policeman, store clerk, or other. *Ni modo*, he says, "that's life."

Mexican culture places high value on *aguante*, the ability to put up with things, to deal with life. The Mexican very much appreciates the person who knows how to *aguantar*. *¡Aguántese!* He'll say to the person who complains about something. The complainer is often dismissed as a *chillón* (cry baby).

But the American doesn't see things that way. The person who doesn't put up with bad treatment or a contrary decision, and fights it, is an "activist," a "reformer." Far from being seen as a "cry baby," the reformer is a

"luchador" es visto positivamente, siempre y cuando no lleve las cosas al extremo.

Cuando el americano se queja de algo, su vecino mexicano muchas veces piensa que es una persona débil; que no sabe aguantar.

Cuando el mexicano acepta una situación contraria, su vecino americano muchas veces piensa que es una persona débil; que no sabe defenderse.

Es evidente que el asunto "fatalista-controlador" es un punto de diferencia entre mexicanos y americanos. Sin embargo, hay evidencias de que esta distinción se va disminuyendo.

En una encuesta nacional hecha hace unos años por la Kaiser Family Foundation, se encontró que más del 50% de los nuevos inmigrantes mexicanos (recién llegados) expresaron que "no tiene sentido planificar para el futuro". Pero al hacer la misma pregunta a los mexicanos ya radicados en los Estados Unidos, menos del 20% expresó acuerdo. ¿Qué está pasando?

Lo que pasa es que los mexicanos van aceptando la perspectiva sobre la importancia de planificar para el futuro. Se están adaptando a la nueva sociedad de "controladores".

Se ha comentado también que los mexicanos nacidos en Estados Unidos, los llamados "chicanos", son menos propensos al fatalismo que los inmigrantes recién llegados. Es más probable que alcen la voz y luchen contra algo que ven mal.

Nuestros amigos chicanos dicen que el fatalismo les perjudica a los mexicanos cuando se trata de competencia entre los grupos. "Los güeros tienen la ventaja porque no saben aceptar la derrota", dice mi amigo Andrés, un residente local chicano, "y por eso los mexicanos estamos como estamos".

positive image to Americans (as long as he doesn't take it too far…).

When the American complains about something, his Mexican neighbor might think he's a weak person who doesn't know how to *aguantar*.

When the Mexican accepts a contrary situation, his American neighbor might think he's a weak person who doesn't know how to defend himself.

It is evident that the "fatalistic-controller" tension is a point of difference between Mexicans and Americans. However, there is evidence that this difference is lessening with time.

A national survey sponsored a few years ago by the Kaiser Family Foundation found that more than 50% of recently-arrived Mexican immigrants agreed with the statement that "It's pointless to plan for the future." But far fewer Mexican-Americans (less than 20%) agreed with the same statement. What's happening here?

What's happening is that Mexican immigrants are adapting to the new society of "controllers," and are accepting the perspective that it's important to plan for the future.

Chicanos born in the United States say they are less prone to the fatalistic outlook than are recently arrived Mexican immigrants. They're also more likely to raise their voices and become activists than are their Mexican parents.

Our Chicano friends tell us that fatalism hurts Mexicans who try to compete in our society. "White people have the advantage, because they don't know how to accept defeat," says Andy, a local Chicano resident, "and that's why Mexicans are still at the bottom of the barrel."

¿Materialista o espiritual?

Nuestros vecinos americanos dicen que los mexicanos son muy "espirituales", mientras que los mexicanos dicen que los americanos son muy "materialistas". Desde sus propios puntos de vista, ambos tienen la razón. Pero cuidado, pues ambos elementos existen dentro de los dos grupos.

Por supuesto que lo espiritual es importantísimo en Estados Unidos. El que diga que es una sociedad totalmente materialista está equivocado. El país cuenta con un fuerte movimiento ecológico, y los estadounidenses, según encuestas, están entre los pueblos más religiosos del mundo. El arte, la literatura y la música en todas sus manifestaciones son bien apoyadas en Estados Unidos.

Por el otro lado, no se puede decir que no existe el materialismo en México, o que no le importan al mexicano las cosas materiales, como un buen salario, por ejemplo.

Dado que ambos elementos existen en los dos países, ¿de dónde proviene esta percepción popular, que el americano es materialista y el mexicano es espiritual?

Los mexicanos insisten en que los estadounidenses son materialistas. Dicen que les interesa más los asuntos materiales (como el dinero) que los asuntos del alma (como el amor). La poderosa economía norteamericana a veces aplasta los productos y las tradiciones mexicanas. Santa Claus, por ejemplo, ya es más conocido en México que los mismos Reyes Magos. Los religiosos mexicanos no dejan de criticar el "materialismo" del modelo económico estadounidense. El resultado es la percepción de que el comercio le importa más al americano que cualquier otra cosa.

Del otro lado del río, los americanos observan que en México hay más fiesta, hay más música, más danza, y mayores expresiones espontáneas que en su propio país. Las serenatas, fiestas callejeras, procesiones religiosas, y música en las plazas, entre otras expresiones públicas, no son comunes en los Estados Unidos, donde los vecinos son capaces de llamar a la policía si se arma una fiesta familiar con demasiado "ruido".

La diferencia entre los grupos se hace evidente cuando se trata de fiestas. En la sociedad americana la fiesta es controlada, organizada y ocurre en pocas ocasiones. En la sociedad mexicana la fiesta es abierta, espontánea y ocurre con frecuencia.

En la boda americana vea usted qué bien controlados están los niños, en comparación a la boda mexicana, donde los niños están por todos lados.

Spiritualistic or materialistic?

Americans say that their Mexican neighbors are "spiritualistic," while Mexicans say that Americans are "materialistic." They are both right, of course, from their own points of view.

The spiritual side of American life is very important; and the Mexican who claims that Americans are *totally* materialistic is *totally* wrong. The United States, according to surveys, is among the more "religious" societies of the world. Environmentalism is a strong force in American society, and literature, art and music, in all their manifestations, are well-supported in the United States.

On the other side of the border, we can't say that materialism doesn't exist, or that Mexicans don't have materialistic concerns, like a good salary, for example.

So if both elements exist in both countries, where does this popular concept come from, that Americans are materialistic and Mexicans are spiritualistic?

Mexicans insist that Americans are materialistic. They say Americans are more interested in material things (like money) than they are in matters of the soul (like love). The powerful American economy at times overwhelms Mexican products and traditions. Santa Claus, for example, is now better known in Mexico than are the once-traditional Three Kings. Mexican Church authorities are constantly critical of the "materialistic" American economic model.

The result is the perception in Mexico that commerce is more important to the American than anything else.

Americans, on the other hand, see that in Mexico there are more fiestas and spontaneous expressions of music and dance than there are in their own country. Serenades, street parties, religious processions, music in the plaza, and other spontaneous public expressions are not common in the United States, where neighbors are likely to call the police if a family fiesta gets too loud.

The difference between the groups is evident when we consider the fiesta. In American society the fiesta is a controlled celebration; it is well organized, and does not occur frequently. In Mexican society the fiesta is open, spontaneous, and occurs with what to Americans would be a bewildering frequency.

Children are usually under tight control at American weddings, as

No es raro seguir un programa durante una fiesta americana, aunque sea una fiesta familiar, mientras que las cosas en la fiesta mexicana por lo general no son programadas, pero simplemente ocurren.

Tanto el americano como el mexicano festejan bodas, cumpleaños y festejos oficiales. Pero el mexicano va más allá: el cumpleaños de tía Cleta, la primera comunión de la hija de una sobrina; el aniversario del amigo del cuñado Tacho, entre otros muchos ejemplos, son también ocasiones para festejar.

Les explicamos a nuestros amigos americanos que la fiesta mexicana es casi siempre para rendir honores a una persona; no solamente para "echarse un seis", y ocurre con más frecuencia que la fiesta americana.

El asunto "espiritual-materialista" también se manifiesta en el consultorio del médico, donde los doctores americanos nos dicen que sus pacientes mexicanas se demoran más de lo que deben antes de ir al médico. Dicen que es posible que sus pacientes mexicanas hayan ido primero al curandero local, o hayan tratado de curarse solas, porque "Dios dispone".

Dicen que las pacientes mexicanas no confían tanto en explicaciones y tratamientos que no contengan ningún elemento espiritual. ¿Cómo curar un "mal de ojo" con una pastilla?

Otro aspecto del asunto se presenta en los lugares de trabajo, donde el empleado mexicano tiene su "radar" listo para detectar cualquier elemento espiritual en el comportamiento del patrón americano. Es muy común la queja de trabajadores mexicanos, de que el supervisor americano "tiene sus favoritos"; y es igual de común que el supervisor americano lo niegue.

"El supervisor saluda a Larry con mayor amistad que a Pancho. Esto quiere decir que Larry es su favorito y que no quiere tanto a sus empleados mexicanos".

¿Será? ¿O será que el "radar" del supervisor americano, mayormente materialista, no es nada agudo en cuanto a lo espiritual, y que no le pone tanta importancia a la diferencia con la que trata a sus trabajadores?

A menos que sea totalmente descarado, el favoritismo no es asunto de tanta importancia para el trabajador americano como lo es para sus compañeros de trabajo mexicanos. Es que los dos se están mirando a través de lentes — lentes culturales. El mexicano, espontáneo, espiritual, con fiesta en el alma; y el americano, programado, materialista, con sus deberes en la mente. Ninguno es mejor que el otro; se trata de sistemas diferentes.

opposed to children everywhere at a Mexican wedding. It's not unusual to follow an agenda at the American fiesta, even if it's just a small family one, while at the Mexican fiesta, there is usually no agenda; things just happen.

Americans and Mexicans both celebrate weddings, birthdays, and state holidays. But Mexicans take it further: Aunt Cleta's birthday, the First communion of the daughter of a cousin, the anniversary of the friend of your brother-in-law, and many other situations, are occasions to celebrate.

We explain to our American friends that Mexican fiestas always have a purpose, usually to honor someone, and are not simply excuses to have a few drinks. When we add up all the religious and family celebrations, we have many more Mexican fiestas than Americans are accustomed to.

The "spiritualistic-materialistic" tension is evident at the doctor's office, where American doctors tell us that their Mexican patients delay too long before coming to see them. They say that some of their patients consult faith healers first, or wait for natural cures, because "God provides."

They also tell us that their Mexican patients don't have much confidence in diagnoses or treatment plans that have no spiritual element. How do you cure the *mal de ojo* (evil eye) with a pill?

We see another aspect of this tension at the workplace, where Mexican employees always have their "radar" on, able to detect any spiritual element in the boss' behavior. A very common complaint among Mexican employees is that the American boss has his "favorites," while it is just as common for the American boss to deny it.

"Our supervisor says hello to Larry in a more friendly way than he does to Pancho. This means that Larry is his favorite and he doesn't like the Mexican employees as much."

Really? Or could it be that the American supervisor, with a relatively greater materialistic outlook and not very sensitive about the spiritualistic side, simply doesn't pay much attention to the different ways he treats employees? Unless it is blatant, favoritism is not as important an issue for American workers as it is for their Mexican counterparts.

The two groups look at each other through cultural lenses. The Mexican, spontaneous, spiritual, with fiesta in the soul; the American, organized, materialistic, with duties on the mind. Neither is better than the other; they're just different.

¿Machista o 'igualitario'?

Uno de los puntos más discutibles entre las culturas americana y mexicana es el trato apropiado de la mujer. El americano acusa al mexicano de "machista", y se autodefine como "igualitario", o sea, una persona que trata por igual al hombre y la mujer.

Por el otro lado, el mexicano acusa al americano de "mandilón", y dice que Dios no creó a la mujer igual que al hombre y por ello no hay que tratarla igual.

Es patente que la mujer estadounidense goza de mayores derechos y privilegios que sus contrapartes mexicanas. Las leyes le dan mayor protección y la sociedad le da mayor aceptación en cualquier carrera que quiera emprender.

Sin embargo, existe un elemento fuertemente machista dentro de los Estados Unidos. Los hombres son mejor pagados que las mujeres, aunque hagan el mismo trabajo, según encuestas. El concepto tradicional de la mujer en los Estados Unidos sigue siendo el de la madre y ama de casa, así como en México.

Hace apenas 100 años, nuestro país era mayormente agrícola en su actividad. El hombre y los niños trabajaban afuera, mientras que la mujer y las niñas trabajaban dentro de la casa. La educación formal no era para mujeres, que sólo estaban para cocinar, coser, tener hijos (no hijas) y criarlos bien.

Hoy en día vemos los rasgos de esa herencia en la actitud machista que permanece en todos los sectores de la sociedad estadounidense.

Sin embargo, nuestros amigos mexicanos dicen que los americanos no son nada machistas, en comparación con ellos mismos.

"En mi país es más común que un hombre decida golpear a su mujer por cualquier cosa", dice nuestro amigo Manuel. "Aunque esto está cambiando, el cambio va a tomar tiempo. Otra cosa es que nuestra religión nos enseña que las mujeres no son iguales; por eso no pueden ser sacerdotes. La Iglesia dice que las esposas deben obedecer a sus maridos en todo. No dice *cooperar*, sino *obedecer*".

Durante el año pasado vimos varias notas en los diarios mexicanos sobre el asunto de la penalización de la violencia intrafamiliar. Según las organizaciones femeninas citadas, pocas dependencias policiacas intervienen cuando se trata de un asunto entre un hombre y su esposa. Varias mexicanas (y algunos mexicanos) denunciaron el "ambiente machista" que

Chauvinistic or 'egalitarian?'

One of the greatest points of contention between American and Mexican cultures is the appropriate treatment of women.

The American accuses the Mexican of having a *macho* (chauvinistic) attitude, while claiming that he is more egalitarian, treating men and women the same.

The Mexican, on the other hand, accuses American men of being "whipped;" and say that God did not create women equal, and therefore they should not be treated as such.

It is clear that American women enjoy greater rights and privileges than their Mexican counterparts. The laws give them greater protection, and society is more accepting of any career they undertake.

However, there exists a strong chauvinistic element in American society. Men are better paid than women who do the same jobs, according to surveys. The traditional concept of the woman in the United States is as a mother and a homemaker, as it is in Mexico.

It was not so long ago that the main occupation in our country was agriculture. The men and the boys worked outside, while the women and the girls worked inside the home. Formal education was not for girls, who were expected to cook, sew, have children (preferably sons), and raise them well.

Today we still see the traces of that heritage in the chauvinistic attitudes that persist in every sector of American life.

However, our Mexican friends say that, compared to them, Americans aren't chauvinistic at all.

"In my country it's more common for a man to beat his wife for any little thing", says our friend Manuel. "Although this is changing now, the change is going to take time. Also, our religion teaches us that women are not equal; that's why they can't be priests. The Church says women are supposed to obey their husbands in everything. It doesn't say *cooperate*, but *obey*."

One of the hot topics in Mexican newspapers in 2001 was the penalization of domestic violence. Feminist organizations were quoted as saying that few policemen were willing to intervene between a man and his wife. Several women (and some men) were quoted as lamenting the "macho atmosphere" that prevails in Mexico.

The Mexican social environment still supports an open expression of

impera en su país.

Ya dijimos que ambos países tienen ambientes machistas, pero son ambientes diferentes. La diferencia depende según hablemos del ambiente social o el ambiente legal. En lo social, la diferencia es menor, aunque todavía existe; pero en lo legal, ¡allí está el detalle!

El concepto de "igualdad según la ley" es la clave para analizar este tema. Aunque todavía hay mucho machismo dentro de los Estados Unidos, las leyes del país son igualitarias, o sea que insisten en el trato por igual a hombres y mujeres. Y las mujeres, cada vez más, insisten en que sean respetados sus derechos legales a la igualdad.

Un mexicano, o cualquier extranjero producto de un sistema mayormente machista, encuentra que su comportamiento social muchas veces es considerado chocante entre las mujeres americanas. El mejor ejemplo de este choque cultural tiene que ver con los "piropos".

En los Estados Unidos, el piropo en casi todas sus formas es considerado una falta de respeto hacia la mujer. Para indicarle su interés, el hombre habrá de hacerlo en una forma delicada, indirecta; nunca con chiflidos ni mucho menos el famoso "¡Chhhht!".

Pero los mexicanos no lo saben. "Nos criamos mirando películas americanas, donde las mujeres tienen comportamientos de baja moral, en comparación con nuestras mujeres", dice Manuel. "Además, las turistas americanas en México a veces no se portan muy bien. Nos venimos a los Estados Unidos pensando que las mujeres americanas son fáciles".

Las muchachas americanas casi siempre se sienten ofendidas cuando son el objeto de los piropos de los muchachos mexicanos. Es más, les asusta cuando se trata de un grupo de hombres, quizás hablando un idioma que no entienden, haciendo gestos irrespetuosos. Las muchachas son capaces de denunciar el asunto ante las autoridades del lugar.

El problema de los "piropos" deja una impresión negativa del mexicano que es difícil superar. "Los hombres mexicanos tratan a sus mujeres como si fueran animales", me comentó una vecina. "Vienen a nuestro país y comienzan con sus estúpidos chiflidos y sus cochinadas. Le tengo mucha lástima a las mujeres mexicanas", concluyó. Es una queja muy común entre los americanos, de que los mexicanos tratan mal no sólo a sus mujeres, sino a todas las mujeres.

Traté de explicarle a la señora que no es así; que para comprobarlo sólo habría que ir a México un 10 de mayo, cuando las mujeres están puestas en alto. Entonces tendría la oportunidad de ver que muchos mexicanos tratan con respeto y consideración a sus madres, esposas,

machismo, although this is changing. The American social environment, although similar at heart, no longer supports quite as open an expression of chauvinism.

It is in the legal environment where we see major differences. The American concept of "equality under the law" is the key to understanding this issue. Although chauvinism persists in the United States, the laws are egalitarian, and American women are demanding more and more that their legal rights to equal treatment be respected.

The immigrant from Mexico, or from any other country with a more chauvinistic society, will find that his behavior is often considered rude among American women. The best example of this is the Mexican method of flirting with American women.

In the United States, overt flirting in almost any form is now considered a lack of respect toward the woman. To show his interest, a man would have to do it delicately, indirectly; never by whistling and much less the infamous "Chhhht!"

But Mexicans don't know that. "We grew up watching American movies, where the women were all looser, with lower moral standards than our women", says Manuel. "And female tourists in Mexico sometimes don't leave a very good impression. We come to the United States thinking that American women are easy."

American girls almost always feel offended when Mexican boys flirt with them. They also become frightened when faced with a group of men, perhaps speaking a language they don't understand, and making disrespectful gestures. The girls are likely to complain to the local manager or other authority.

The "flirting" (some say "leering") problem leaves a negative impression that is difficult for Mexican men to overcome. "Mexicans treat their women like animals," said an American neighbor of mine. "They come to our country and start their stupid whistling and nasty comments. I feel sorry for Mexican women," she concluded.

I explained to her that that's not the way it is; that she should visit Mexico some 10th of May, when women are placed on a pedestal and revered. She would also have the opportunity to see that many Mexicans treat their mothers, sisters, wives and daughters with respect and consideration.

But negative impressions are hard to erase.

Chauvinist or egalitarian? It's possible that Mexican society is more chauvinistic than American society. What's certain is that American society

hermanas, hijas y compañeras.

Pero las impresiones negativas son difíciles de borrar.

¿Machista o "igualitario?" Es posible que la sociedad mexicana sea más machista que la sociedad americana. Lo cierto es que la sociedad americana lo cree así. Lo importante para ambos grupos es educarse sobre el tema. Para los americanos, entender que las raíces históricas del machismo existen en ambos lados de la frontera; para los mexicanos, entender que la "igualdad según la ley" es la consideración básica que hará caso omiso de cualquier machismo social que persiste en la vida estadounidense.

thinks so. The important thing for both groups is to educate themselves about the issue. For Americans, to understand that the historical roots of chauvinistic behavior exist on both sides of the border; for the Mexican in the United States, to understand that "equality under the law" is the basic rule that will override the social chauvinism that persists in American life.

¿Tolerante o belicoso?

Muchos americanos han comentado sobre la supuesta tolerancia de sus vecinos mexicanos. Dicen que los mexicanos son más tolerantes que los americanos. ¿Será?

Hemos visto instancias de intolerancia en México, como en todos los países. Vemos conflictos religiosos y raciales. Entonces, ¿por qué dicen que los mexicanos son más tolerantes?

Porque sí lo son; pero cuando se trata de relaciones personales, entre individuos. El mexicano es una persona que fácilmente acepta las diferencias entre los individuos.

El hogar mexicano por lo general está poblado de personas muy diferentes. Es su costumbre mantener en casa a todos los miembros de la familia hasta que se casen y vayan a establecer su propio hogar. En el hogar se pueden encontrar, además de padres e hijos, una abuelita que otra, un primo, un tío, etc.

Además, se toleran las peculiaridades de cada uno. El famoso "Welfare" de Estados Unidos no existe como tal en México, porque la familia se encarga de sus miembros. El ancianito, el lesionado, el enfermo mental, entre otros, por lo general están en el seno de la familia y no requieren asilos ni retiros para mantenerlos apartados.

Los americanos ven cómo los mexicanos van a todos lados como familia; a comprarse un carro, al doctor, a una boda, etc. Se comenta sobre la tolerancia que muestran para con sus niños, y no es raro ver letreros en oficinas americanas que piden: "Favor de controlar a sus niños". Tengo amigos mexicanos que no van a ningún lado sin sus hijos. Por eso no asisten a reuniones y ciertos eventos donde los niños no son bienvenidos. No les interesa conseguir una "beibiciri", y dicen que sus vecinos americanos debieran ser más tolerantes con los niños.

De hecho, los mexicanos dicen que sus vecinos americanos no toleran bien ni a sus propios hijos. Los americanos esperan que sus hijos salgan del hogar para establecer el suyo propio a más tardar a los 21 años de edad. Ven con malos ojos a los adultos de 30 ó 40 años que todavía viven en la casa de sus padres.

En una encuesta nacional hecha por la Kaiser Family Foundation, el 95% de los mexicanos radicados en Estados Unidos respondió que "Los hijos deben permanecer en casa hasta que se casen", mientras que sólo el 40% de los hispanos nacidos en Estados Unidos estuvo de acuerdo.

Tolerant or contentious?

Many Americans have commented about the supposed tolerance of their Mexican neighbors. They say Mexicans are more tolerant than Americans. Are they?

We see incidents of intolerance in Mexico, as in any country. We see religious and racial conflict. Why, then, do they say that Mexicans are more tolerant?

Because they are; but tolerant when it comes to personal relations. Mexicans easily accept individual differences among people.

The Mexican home has lots of different people in it. It's customary to keep family members at home until they get married and go establish their own home, but not before. As well as the traditional nuclear family members, there'll almost always be others, like an uncle, a grandmother, a cousin, an in-law, etc.

Not only are there more people in the Mexican home, but there is greater tolerance for the idiosyncracies of each member. "Oh, that's just Nacho; don't worry, he likes to walk backwards."

The American-style welfare system doesn't exist in Mexico, because the family takes care of its own. The little old lady, the handicapped, and the mentally ill, among others, are part of the family and don't require special programs and "residences" to keep them apart.

Americans note how Mexicans go everywhere together. The whole family goes to buy a car, to the doctor, to a wedding, etc., where Americans are likely to comment on how tolerant the parents are of kids that "get into everything." It's not unusual to see signs at service agencies that ask Mexican parents to "please control your children."

I have Mexican friends that wouldn't think of going anywhere without their children. They routinely miss meetings and other events where children are not welcome. They're not interested in getting a babysitter, and they say that Americans should be more tolerant of children.

In fact, Mexicans say, Americans aren't very tolerant even of their own children. They think it's scandalous when their American neighbors talk about "kicking the kid out" when he turns 21 (some say 18). Neither do they understand why Americans have a problem with the adult child of any age still living at home.

Social Workers tell us that it is often more difficult to convince the Mexican family to apply for food stamps and other services, because they

Los trabajadores sociales nos dicen que muchas veces es más difícil convencer al padre mexicano a pedir estampillas de comida, porque es más tolerante de contratiempos y mala suerte que sus vecinos americanos.

Recientemente se comunicó conmigo el dueño de un asilo para ancianos, para pedir que le recomendara nombres de posibles empleados. "Pero no quiero nombres anglos", dijo. "Yo sé que los mexicanos son más tolerantes que los anglos, y son mejores para trabajar con los ancianitos".

Muchos mexicanos dicen que los americanos son belicosos; que buscan pleito y se enfocan en las diferencias entre la gente; y que no aceptan bien a personas diferentes, ya sea por raza, lengua u otra razón.

Los Estados Unidos es una nación de inmigrantes. En su historia ha sido importante dejar de lado las diferencias y cooperar para sobrevivir. Hoy en día, cuando una persona manifiesta diferencias, los americanos se ponen nerviosos, y muchos exigen que la persona hable inglés y que "sea americano"; pues en un pasado no muy lejano era necesario para sobrevivir.

Lamentablemente, el terrorismo ha incrementado la intolerancia del americano hacia personas "diferentes". Aunque mucho se ha comentado sobre el gran valor de la diversidad para nuestra nación, prevalece el temor hacia los "diferentes".

Sin embargo, muchos americanos reconocen que el mexicano tiene el don de la tolerancia, y en varias ocasiones han comentado sobre la contribución positiva que el mexicano hará en una sociedad donde hace falta la aceptación y la paciencia para con otros seres humanos.

are more tolerant of hard times and bad luck than are Americans.

When the owner of a nursing home contacted me to recruit new employees, he asked for Latino names only, because, he said, "Mexicans are more tolerant than Anglos, and are better at working with senior citizens."

Mexicans say that Americans are contentious; that they look for conflict; that they focus on the differences among people; and that they don't accept very well people who are different.

The United States is a nation of immigrants that has survived in the past because its citizens set aside their differences and cooperated with each other. Today, when some Americans show pride in their differences, others get nervous and tell them to "speak English," and "be American," since not so long ago it was necessary to minimize our differences to survive.

Unfortunately, terrorism has increased the American intolerance to "different" people. Although much lip service is given to diversity as a strength of our country, the fear of the different persists.

However, many Americans recognize that the Mexican has the gift of tolerance, and many welcome the positive contribution Mexicans will make in a society sadly lacking in acceptance and patience toward our fellow human beings.

¿Siesta o trabajo?

El concepto clásico que tiene el americano de sus vecinos del sur es representado por la figura de un campesino vestido de blanco, con un sarape colorido y un amplio sombrero charro, sentado en la tierra, tomándose una siesta reclinado contra un cacto.

En Hollywood, el mexicano es representado como una persona que va más lento en todo y a quien no le gusta el trabajo.

El americano, orgulloso de su *work ethic* (ética de trabajo), cree que es el mejor trabajador del mundo; que nadie le gana para trabajar. Además, cree que su vecino mexicano, en cualquier momento, prefiere tomarse una siesta que trabajar.

Este sentimiento es reforzado cuando el americano va de turista a partes de México donde todas las tiendas cierran a las 12 del mediodía, para no abrir de nuevo hasta las 3 p.m., lapso de tiempo que el americano denomina *siesta time*. El americano dice que el mexicano se va a casa y se toma una siesta durante horas que, para él, serían horas de trabajo. Concluye que el mexicano es "flojo" y que prefiere descansar que trabajar.

El americano, producto del norte de Europa, y habitante de un país que no tiene zonas tropicales, no entiende el horario tropical, denominado también el "horario colonial".

En la época colonial, los europeos encontraron que el calor del día impedía las funciones normales en sus colonias tropicales, y los residentes locales tomaban un descanso de mediodía, para continuar con su trabajo en las horas de la tarde cuando hacía menos calor. El resultado fue el "horario colonial", que todavía está en uso en muchas partes de América Latina.

El turista americano, sin entender esta historia, sólo percibe que las tiendas están cerradas a las 2 de la tarde, y se pregunta por qué la gente no está trabajando. Tampoco entiende que las tiendas permanecen abiertas hasta las 7 o las 8 de la noche, horas cuando el americano está en casa descansando.

Muchos americanos que van a México, esperan ver el clásico "mexicano flojo", y comentan que no es así. Casi con sorpresa expresan que "hay mucha actividad"; que todo el mundo está trabajando, aunque sea en trabajitos humildes. Les sorprende descubrir que el mexicano también es un trabajador; que tiene un *work ethic* igual de fuerte que la de ellos.

Una parte de la sociedad americana ya descubrió el hecho de que el

Work or siesta?

The American's classic perception of his southern neighbor is represented by the figure of a man, perhaps a little overweight, dressed in white, sometimes with a colorful *sarape* and a wide-brimmed *sombrero*, taking a *siesta*, sitting on the ground and leaning against a cactus.

Hollywood is fond of representing Mexicans as people who move slowly and aren't particularly interested in working.

The American, proud of his work ethic, believes that he's the best worker in the world; that nobody beats him when it comes to work. He also believes that his Mexican neighbor would rather take a siesta than go to work.

This feeling is reinforced when the American goes on vacation to Mexico, where the stores are likely to close at noon and reopen at 3 p.m., a period Americans call *siesta time*. The American thinks that Mexicans go home and take a siesta during hours that, for him, should be work time. He concludes that the Mexican is lazy and prefers to rest rather than work.

The American, a product mostly of northern Europe, and native of a country that has no tropical zones (excluding Hawaii), doesn't understand the tropical work schedule, also called the "Colonial" schedule.

In Colonial times, Europeans found that the heat of the day made it difficult to do business as usual in their tropical colonies, where locals would take a midday break, and then work into the late afternoon and early evening. The result is "Colonial time," which we still see in use in much of Latin America.

The American tourist, unaware of this history, sees that stores are closed at 2 p.m., and wonders why nobody's working. He doesn't realize that those stores will still be open at 7 or 8 p.m., well after he's gone home to rest.

Many Americans who go to Mexico expecting to see the classical "lazy Mexican" are surprised when they don't find him. Everywhere they look, they see people working, even if doing humble chores. Americans are shocked to discover that Mexicans have a work ethic at least as strong as their own.

American employers, at least, have discovered that Mexicans are hard workers. A few years ago an American orchardist asked me to help him resolve a conflict between his American and Mexican workers. I visited the orchard and spoke with the employees.

mexicano es un fuerte trabajador: Los empleadores. Hace unos años un huertista de manzanas me pidió que le ayudara a mediar en un conflicto que se había armado entre sus empleados americanos y mexicanos. Fui a la huerta para hablar con los empleados.

Los empleados americanos me dijeron que sus compañeros de trabajo mexicanos estaban metiendo la cuchara donde no les correspondía; y que no se les debía hacer caso. Por el otro lado, los empleados mexicanos me dijeron que los americanos estaban podando mal los árboles, dañándolos; que se tomaban descansos demasiado largos; y que trabajaban a un ritmo muy lento.

Cuando hablé con el dueño, éste me explicó que su huerta no estaba funcionando bien; que tenía problemas financieros; pero por "razones sociales" no podía despedir a los diez trabajadores americanos que tenía sin también despedir a los mexicanos. Uno de los trabajadores mexicanos respondió que "Tengo tres primos que le pueden hacer mejor el trabajo que ahora están haciendo esos diez americanos".

El dueño, convencido del *work ethic* del mexicano, dijo que era posible que así fuera. Sin embargo, no hizo los cambios que yo también le recomendé. A los dos años, esa huerta estaba en bancarrota. El dueño no supo respetar el trabajo de sus empleados mexicanos y escuchar sus ideas.

¿Flojo o trabajador? El concepto clásico del "mexicano flojo" existe en la imaginación de muchos americanos pero en ningún otro lado. El público americano en general no sabe que gran parte de su economía depende del trabajo de inmigrantes mexicanos, y sigue creyendo que sus vecinos del sur prefieren buscarse un cacto en lugar de ir a trabajar.

The American employees told me that their Mexican co-workers should mind their own business, and that we should just ignore their complaints. The Mexican workers complained that their American co-workers were damaging the orchard with sloppy pruning, were taking long breaks, and were working too slowly.

The owner told me that his orchard was not doing well, and that it was not sound financially, but that for "social reasons" he could not dismiss the ten American employees and keep the Mexicans. One of the Mexican workers responded that he had three cousins who could do the work then being done by the ten Americans.

The owner, familiar with the Mexican work ethic, said he believed his Mexican worker was probably telling the truth. However, he was unable to make the changes we recommended, and two years later his orchard was in bankruptcy. Although knowing the value of his Mexican employees, the owner was unable to take the next step and respect their ideas.

Work or siesta? The classic concept of the "lazy Mexican" exists in the mind of some Americans but nowhere else. The American public generally is unaware that a large chunk of its economy depends on the labor of Mexican immigrants, and lots of Americans still believe that their neighbors to the south would rather rest against a cactus than go to work.

Chapter 2
Capítulo 2

The Family
La Familia

Americans often observe that Mexicans are more "family-oriented" than they are. What is not observed is how fundamental this difference can be, and how important it is to understanding some of the conflicts that arise between the "individualistic" American and the "collectivistic" Mexican.

Chapter 2 describes the difficulty an immigrant from a collectivist society, like Mexico, will experience within an individualistic society, like the United States.

Los americanos muchas veces comentan que los mexicanos son más "orientados hacia la familia" de lo que ellos son. Lo que no se comenta es lo fundamental que puede ser esta diferencia, y la importancia que tiene para entender mejor el conflicto entre el americano "individualista" y el mexicano "colectivista".

En el Capítulo 2 se señala la dificultad que tendrá el inmigrante de una sociedad colectivista, como México, dentro de una sociedad individualista, como Estados Unidos.

Individuos y familias

Cuando le preguntamos a nuestro vecino americano que nos diga quién es alguien, por lo general nos dice qué trabajo hace. Por ejemplo, *"John Smith is the guy who works in the paint department at Wal Mart"*.

Por el otro lado, cuando le hacemos la misma pregunta a nuestro vecino mexicano, nos recita sus relaciones familiares. Por ejemplo, *"John Smith es el marido de la maestra de Lupita, y es hermano de nuestro vecino Frank Smith"*.

Para el americano, la persona es definida por su trabajo; para el mexicano, la persona es definida por su familia.

La perspectiva del americano es individualista; la del mexicano es familiar. Esta diferencia quizás sea la más profunda de todas entre los vecinos incómodos, y da lugar a un montón de malentendidos entre los dos.

El americano se cría dentro de una sociedad sumamente individualista, donde todo el enfoque está en el individuo. *"Be all you can be"*, dice la publicidad del Ejército; *"This Bud's for you"*, dice la publicidad de una cerveza. Todo está enfocado en la persona.

El americano glorifica a los "rugged individualists" que supuestamente crearon nuestro país, aguantando contratiempos y venciendo un sinnúmero de obstáculos para establecer la nación. El americano respeta a la persona que, luchando solo, supera obstáculos para salir adelante. La medida de su éxito es por lo general el dinero que gana.

El "sueño americano" incluye ser dueño se su propia casa; pero los que viven dentro de esa casa deben ser sólo la "familia nuclear"; o sea, padre, madre, e hijos. Los miembros de la "familia extendida" son bienvenidos; pero sólo como visitantes temporales. Además, se espera que los niños salgan de casa al llegar a la mayoría de edad (18-21 años), para establecer sus propios hogares.

En contraste, el mexicano se cría dentro de una sociedad sumamente familiar. El enfoque es hacia la familia. La publicidad en México pone mayor atención a la familia, aunque la lamentable influencia de Hollywood está cambiando esto.

El mexicano glorifica a la persona que trabaja duro para sacar adelante a su familia. La medida de su éxito son los miembros de su familia que lleguen a mejorar sus condiciones de vida.

Al mexicano también le interesa obtener su casa propia; pero tiene otro concepto de la "familia" que vive dentro. Por lo general, el mexicano

Individuals and families

When we ask our American neighbor who someone is, we will usually be told what work that person does. "John Smith is the guy who works in the paint department at Wal Mart."

When we ask our Mexican neighbor the same question, we'll usually get the family tree. "John Smith is the husband of Lupita's teacher, and he's the brother of our neighbor Frank."

The American defines people by their work; the Mexican, by their family.

The American's perspective is based on the individual; the Mexican's is based on the family. This difference may be the most profound of the many that exist between the uncomfortable neighbors, and it gives rise to a host of misunderstandings.

The American is raised within a firmly individualistic society, where the main focus is on the individual. "Be all you can be," says the American Army. "This Bud's for you," says the beer commercial. Everything is focused on the person.

Americans glorify the "rugged individualists" that supposedly created their country, overcoming terrific obstacles and enduring all manner of hardships to create a nation. The American respects the person who, fighting alone against the odds, is able to win the day and come out ahead. The measure of his victory, usually, is the money he earns.

The "American dream" is incomplete unless you own your own home. The family inside that home consists of Dad, Mom, and kids, and that's all — the "nuclear" family. Members of the "extended" family are welcome, but as visitors. Children are expected to leave home by the age of majority (18-21) and establish their own homes.

The Mexican, on the other hand, grows up in a family–oriented society, where the focus is primarily on the family, not the individual. Although the unfortunate influence of Hollywood is becoming ever more evident, advertising in Mexico is usually aimed at the family.

The Mexican glorifies the person who works hard to get his family ahead. The measure of his success, usually, is the number of family members who have been able to improve their lot in life.

The Mexican would also like to own his own home, but he has a different idea of the family inside. For the most part, the Mexican doesn't make the distinction between "nuclear" and "extended" families. It's all

no hace la distinción entre familia "nuclear" y familia "extendida"; para él, todos son familia. El Tío Freddy, la sobrina Lucy, la abuelita, un hermano que otro, una prima; hasta el compadre Tacho; todos son "familia", y pueden con facilidad ser miembros del hogar. No se espera que los hijos se vayan para establecer sus propios hogares sino hasta que se casen, a la edad que sea.

El mexicano, cuyas conexiones familiares son muy fuertes, muchas veces se asombra ante la debilidad de las conexiones familiares de su vecino americano. Le parece extraño que al americano le guste vivir solo, o que le interese "sacar a los hijos de la casa" tan pronto como sea posible.

Esta diferencia de perspectiva la vemos a menudo en El Mundo, donde hacemos entrevistas a la gente. Los americanos, encantados de tener sus fotos y comentarios en el periódico. Los mexicanos, por el otro lado, pocas veces quieren que se publiquen sus fotos o se mencionen sus nombres.

El americano, producto de una sociedad individualista, no tiene ningún problema con señalar al individuo en el periódico. El mexicano, producto de una sociedad mayormente familiar, prefiere que la familia o el grupo sea señalado; considera "egoísta" al que reciba demasiada atención. El mexicano que salga en el periódico es muchas veces objeto de burlas por sus amigos, "por creerse mucho" y ponerse encima del grupo.

Algunos trabajadores mexicanos se niegan a aceptar una promoción, y los supervisores americanos creen que es porque los mexicanos "no tienen ambición". Pero lo que pasa es que al señalar al mexicano como individuo, se incomoda; porque proviene de una sociedad familiar, y prefiere ser miembro del grupo. Por ello, algunos trabajadores mexicanos prefieren trabajar con el grupo que ser ascendidos.

Individuos y familias. Es una de las diferencias más importantes entre los vecinos incómodos.

"family" to him. Uncle Freddy, cousin Lucy, grandma, a brother or two, a cousin, and even *compadres* or good friends can all be members of the family and live in the home. Children are not expected to leave the home, regardless of age, until they marry (and sometimes not even then!).

The Mexican, whose family ties are very strong, is amazed at how weak those ties are for his American neighbor. It seems strange to him that the American would prefer to live alone and "kick the kids out" at a certain age.

We see this difference in perspective at our Spanish newspaper, El Mundo. When we interview Americans, they are usually delighted to have their pictures and stories in the paper. Mexicans, however, are much less interested in having their pictures or quotes in the paper.

Americans, products of an individualistic society, have no problem being singled out in the newspaper. Mexicans, products of a family-oriented society, are uncomfortable being singled out. They prefer attention on the group, and promptly accuse of "egotism" the person who receives too much attention. The Mexican who is featured in the newspaper is often subjected to ridicule by his friends, for putting himself before the group and thinking too much of himself.

Some Mexican employees turn down promotions, and American supervisors think it's because Mexicans "have no ambition." But what's happening here is that the Mexican who is singled out becomes uncomfortable, and prefers to remain a member of the group, even if it means passing up a promotion.

Individuals and families. This is one of the most important differences between the uncomfortable neighbors.

Individualistas y colectivistas

El mexicano, miembro de una sociedad familiar, prefiere permanecer como miembro de su grupo.

El americano, miembro de una sociedad individualista, prefiere ser reconocido por sus logros y destacarse del grupo.

Esta diferencia entre los vecinos incómodos es muy evidente en las escuelas primarias, donde las maestras, mayormente americanas individualistas, se sienten frustradas por la supuesta "falta de ambición" de sus alumnos mexicanos.

En el famoso *"spelling bee"*, por ejemplo, todos los niños se ponen de pie al frente del salón. Uno por uno deben deletrear palabras. El que deletree alguna palabra mal, debe volver a sentarse, hasta que quede sólo uno de pie, el ganador.

"A mis alumnos mexicanos no les interesa ser el ganador" comentó una maestra. "No entiendo por qué".

Le expliqué que los mexicanitos provienen de una sociedad familiar, donde señalar al individuo no es algo positivo, sino "egoísta", y donde se elogia la participación como miembro del grupo. Al ser el ganador del *spelling bee,* el niño mexicano es apartado de los demás, y aunque sea para elogiarlo, se incomoda.

Le recomendé a la maestra que agrupara los niños para que pudieran funcionar como "familias" de dos o tres miembros. Ganar como grupo, y ser reconocido como grupo, sería menos incómodo para los niños mexicanos.

A los sociólogos les interesa mucho la distinción familiar-individualista. También le dan el título "colectivista-individualista" cuando hablan de las sociedades en general. Las sociedades colectivistas, como la mexicana, reconocen el derecho del grupo sobre el derecho del individuo, mientras que la sociedad individualista, como la americana, reconoce el derecho individual sobre el derecho del grupo.

Los sociólogos dicen que la sociedad mexicana no es nada rara por ser colectivista; sucede que la mayoría de las sociedades del mundo así son. Dicen que las sociedades individualistas están concentradas en Europa y los países (como Estados Unidos) nacidos del imperialismo europeo.

En 1984 un sociólogo llamado Hofstede hizo un estudio de las sociedades del mundo para analizar su grado de individualismo o colectivismo. El sorprendente resultado fue que las cinco sociedades más individualis-

Individualists and collectivists

The Mexican, coming from a family-oriented society, prefers to remain a member of the group.

The American, member of an individualistic society, prefers to be recognized for his personal achievements and stand out from the group.

This difference between the uncomfortable neighbors is evident at school, where teachers, usually individualistic Americans, often express frustration over a supposed "lack of ambition" in their Mexican students.

"You can see it best during the spelling bee," commented one teacher. "Mexican students, even the good ones, have no interest at all in being the winner. I don't understand it."

We explained that her Mexican students come from a family-oriented society, where singling out an individual is not seen as a positive act, but rather proof of egotism, and where praise is given for cooperation with the group. As the winner of the spelling bee, the Mexican child is singled out; and even though it's for something positive, he will be uncomfortable, and his friends will probably tease him.

We suggested that the children compete in the spelling bee as groups of two or three. Winning and being recognized as a group will be less uncomfortable for Mexican children.

Sociologists are interested in the distinction between individualistic and group perspectives. They speak of the "individualistic-collectivistic" spectrum when they study a particular society. Collectivistic societies, like the Mexican society, place the rights of the group above the rights of the individual. Individualistic societies, like American society, place the rights of the individual above the rights of the group.

Sociologists tell us that the collectivism of Mexican society is pretty common. It turns out that most societies in the World are collectivistic. Individualistic societies are concentrated in Europe and include those (like the United States) born of European imperialism.

In 1984 a sociologist named Hofstede made a study of 40 societies in the world, placing them on an "individualistic-collectivistic" spectrum. The surprising result was that the top five individualists all speak English! Of the top five collectivists, three speak Spanish.

For the curious, we give the results as follows. Individualistic: 1) United States; 2) Australia; 3) Great Britain; 4) Canada; 5) New Zealand. Collectivistic: 1) Venezuela; 2) Colombia; 3) Pakistan; 4) Perú; 5) Taiwan.

tas del mundo, ¡todas hablan inglés! Y hay más; de las cinco sociedades más colectivistas del mundo, ¡tres hablan español!

Las sociedades más individualistas, según Hofstede, son: 1) Estados Unidos; 2) Australia; 3) Gran Bretaña; 4) Canadá; 5) Nueva Zelandia. Las sociedades más colectivistas son: 1) Venezuela; 2) Colombia; 3) Pakistán; 4) Perú; 5) Taiwán.

Este resultado reveló una inesperada brecha entre angloparlantes e hispanoparlantes; está claro que no sólo su idioma, sino su perspectiva social es muy diferente.

Ahora bien, ¿qué pasa cuando una familia mexicana viene a vivir a Estados Unidos? Producto de una sociedad colectivista, los mexicanos vienen con un fuerte sentido de unidad familiar, y de inmediato tropiezan contra el individualismo americano. De repente los hijos se portan de otra manera; comienzan a perseguir sus intereses particulares en vez de cuidar los intereses de la familia. Los padres, desesperados por lo que ven como la desintegración de su familia, no entienden que se trata de diferencias sociales, y muchas veces les echan la culpa a sus hijos por ser "egoístas".

Del otro lado, los vecinos americanos ven llegar a la familia mexicana y no entienden por qué vive tanta gente dentro de la misma casa; no entienden por qué los hijos mexicanos abandonan las escuelas para ayudar a la familia a pagar la renta; no entienden por qué los padres mexicanos no permiten a sus hijos pasar la noche en casa ajena; no entienden por qué los miembros de la familia mexicana hacen las cosas todos juntos.

En fin, los americanos no entienden por qué los mexicanos no son individualistas como ellos.

This result showed an unexpected gap between English and Spanish speakers, due not only to language, but also to social perspective. It seems clear that English and Spanish speakers, that is, Mexicans and Americans, see things in fundamentally different ways.

So what happens when the Mexican comes to live in the United States? Product of a collectivistic society, the Mexican comes with a strong sense of family and group unity, and immediately collides with American individualism. His children in particular, start acting differently. They start following their own personal interests instead of those of the family. The parents despair over the "disintegration" of their family, and may blame the children for becoming self-centered, without realizing that this is a natural response in an individualistic society.

On the other side of the fence, the American sees his Mexican neighbors crowd into a small home, and wonders why they allow so many to live there. He wonders why so many Mexican children drop out of school and go to work; why Mexican parents won't let their kids stay overnight at their house; and why the whole family seems to do just about everything together. In short, Americans wonder why Mexicans aren't individualists like they are.

Individualistas y la educación

El americano es una persona individualista, que valora por encima de todo el derecho del individuo. Por el otro lado, su vecino mexicano es una persona familiar, que valora por encima de todo el derecho de la familia.

En las escuelas se ven las consecuencias de esta importante diferencia cultural. Sucede que los hispanos abandonan la escuela antes de completar sus estudios con mayor frecuencia que cualquier otro grupo étnico del país. La mayor incidencia de abandono ocurre a partir del grado 9, aproximadamente a la edad de 14 años.

¿Qué está pasando? ¿Será que los hispanos son menos capaces de estudiar que los demás grupos?

No; lo que pasa es que los hispanos están más ligados a sus familias que cualquiera de los otros grupos. Al llegar a los 14 años, el niño ya puede ir a trabajar y ayudar a la familia, pues la necesidad de la familia es más importante que la necesidad del individuo, aunque sea la necesidad del niño de educarse.

Esto produce un conflicto importante entre los vecinos incómodos. El americano critica a su vecino mexicano por "no estar interesado en la educación de sus hijos".

Hace varios años una maestra de una escuela local me pidió que le ayudara a explicar la importancia de la educación a una familia de trabajadores migrantes, una miembro de la cual, una niña de 10 años, dejaba de asistir a la escuela con regularidad.

Después de hablar con los padres de familia y analizar la situación familiar, me comuniqué con la maestra para decirle que no se trataba de una familia que no sabe la importancia de la educación. Lo que pasaba era que cuando toda la familia salía a trabajar en la huerta, alguien tenía que quedarse en casa para cuidar a la niña de tres años. Se trataba de una situación en que la necesidad familiar era más importante que la necesidad de la persona. Esta situación fue resuelta cuando le consiguieron un servicio de guardería para la niña de tres años.

Para la maestra, una americana individualista, lo más importante fue la necesidad de la niña; para los padres, mexicanos familiares, lo más importante fue la necesidad de la familia. La americana, sin entender este importante aspecto de la cultura mexicana, concluyó que a los padres "no les importaba la educación de la niña". Para el mexicano, la necesidad familiar siempre le va a ganar a cualquier necesidad individual. Esto es difícil de entender para el americano individualista.

Individualists and education

The American is individualistic, valuing above all the rights of the individual. On the other side of the fence, his Mexican neighbor is collectivistic, valuing above all the rights of the family.

We see one of the consequences of this important cultural difference in our schools, where Hispanic students drop out more than any other ethnic group. Most of the dropout happens after the 9th grade, when the student turns 14.

What's happening here? Are Hispanic students less capable than Anglos, Asians, and African Americans?

Not at all; but they are more closely tied to their families than are students of these other groups. At age 14, children in most states can go to work and help the family, and this is what many Hispanic children do, since the family need is more important than the individual need — even the individual's need for an education.

This produces an important conflict between the uncomfortable neighbors. The American criticizes his Mexican neighbor for "not being interested in the education of his children."

A few years ago a teacher at a local elementary school asked me to help her explain the importance of education to a family of migrant farm workers, whose 10 year-old daughter regularly missed school.

After speaking with the family, I met with the teacher to explain that the family understood perfectly well the importance of education. But when all the family members went to work in the apple orchard, and no one could be found to babysit, then the ten year-old had to stay home and care for her 3 year-old sister. There could be no question that the family need must be met first. The issue was resolved when the teacher helped to secure a reliable day care service for the family.

For the teacher, an individualistic American, the most important issue was the need of the student for an education. For the parents, collectivistic Mexicans, the most important issue was the need of the family. The teacher, not understanding this important aspect of Mexican culture, concluded that the parents did not care much about the education of their child.

As far as the Mexican is concerned, the need of the family will always win out over any need of the individual, and this is difficult for the individualistic American to understand.

Individualistas y el empleo

Cuando el americano se entrevista para algún empleo, sus experiencias de trabajo se convierten en grandes hazañas y pone en alto sus logros, por pequeños que sean. Se presenta como una persona de total auto confianza y perfectamente capaz de todo. Hace resaltar sus cualidades individuales para convencer al patrón de contratarlo.

Para el americano, producto de una sociedad individualista, le viene fácil jactarse de sí mismo. Pero, ¿qué le pasa a su vecino mexicano cuando va a entrevistarse?

Para el mexicano, producto de una sociedad familiar, es difícil jactarse de sí mismo. No le gusta ser señalado ni para ser reconocido. En México, es "egoísta" mostrar orgullo en uno mismo, y "mal educado" el que lo hace. La humildad del individuo es más importante que el orgullo.

¿Qué habrá de pensar el patrón americano, al entrevistar al mexicano? Lo que pasa es que muchos patrones americanos no contratan al mexicano que deben contratar, porque no entienden que su aspecto humilde es producto de su cultura, y no es señal de alguna falta.

Por ejemplo, el dueño del taller de mecánica le pregunta al solicitante mexicano, *"¿Sabes trabajar con Fords?"* y nuestro vecino mexicano responde humildemente: *"Pues sí, creo que sí"*. Puede ser que el mexicano sea un mecánico de primer nivel; puede ser que sepa absolutamente todo sobre la reparación de Fords; sin embargo, por no ser individualista y no querer jactarse de sí mismo, responde con humildad, lo que el patrón americano interpreta como inseguridad. *"Parece que está inseguro en cuanto a Fords; parece no tener mucha confianza en sí mismo; mejor no contratarlo"*, concluye el patrón.

Esta situación se repite una y otra vez en todas partes. En las escuelas locales, por ejemplo, donde existe una gran necesidad de maestros hispanos, muchas veces no son contratados los solicitantes hispanos que parecen ser totalmente calificados. ¿Qué está pasando? ¿Será que los distritos escolares están llenos de racistas?

No niego que el racismo sea parte del problema, pero la mayor parte no es eso. Es que los solicitantes mexicanos no hacen bien sus entrevistas, según los criterios de los oficiales escolares americanos. Los oficiales buscan cualidades de autoestima, autoconfianza, capacidad y orgullo; aspectos que difícilmente muestran los solicitantes mexicanos, criados en una cultura donde esas cualidades están relacionadas con el egoísmo.

Individualists and employment

When the American goes to a job interview, his employment experiences turn into great feats, and his accomplishments become larger than life. He presents himself as a person with total self-confidence and capable of everything. He exaggerates his qualifications to convince the employer to hire him.

The American, product of an individualistic society, finds it easy to brag about himself. But what happens when his Mexican neighbor goes to the same interview?

The Mexican, product of a collectivistic society, finds it difficult to brag about himself. He doesn't like to stand out, even to receive praise. In Mexico, it is egotistical to show pride in oneself, and the person who does is simply showing his poor education (*mal educado*). Humility, not pride, is the value for the individual to strive for.

What will the American boss think during the interview? It is highly possible that he will not hire the well-qualified Mexican, seeing in his humility character flaws that in truth are not there.

"Do you know how to work on Fords?' asks the American supervisor of a service department. "Well, I think so," answers our Mexican neighbor humbly, avoiding eye contact. Although he is a world-class Ford mechanic, knowing absolutely everything about Fords, he is not individualistic and avoids bragging about himself, responding with humility, which the American employer mistakes for insecurity. *He seems a little unsure about Fords; doesn't seem to have much self-confidence; better not hire him*, concludes the Employer.

This situation repeats itself over and over. In local schools, for example, where a desperate need exists for bilingual teachers, Hispanic applicants, seemingly qualified, are often passed over. Why does that happen? Are schools full of racist administrators?

Although we do not deny that racism exists, this is not the main part of the problem. It turns out that Mexican applicants don't perform very well in interviews, according to traditional American criteria.

School officials, like other American employers, look for self-esteem, confidence, capability, and pride; qualities that are difficult for Mexicans to put on display, having come from a culture where these qualities are related to egotism.

The prized Mexican humility is misinterpreted by Americans, who may

La apreciada humildad mexicana es mal interpretada por sus vecinos americanos, que habrán de pensar que el solicitante mexicano es tímido; no tiene confianza en sí mismo; no tiene los conocimientos necesarios; no tiene autoestima; no puede comunicarse bien; y es una persona insegura.

Es posible que el mexicano no tenga ninguna de estas características; pero por no ser individualista y orgulloso, no comunica bien las cualidades personales que buscan los empleadores americanos. El mexicano, aunque tenga las cualidades personales que busca el empleador americano, evita comunicarse con egoísmo, y allí muere su oportunidad de empleo.

Es importante para nuestro vecino mexicano entender esta diferencia cultural, en particular cuando vaya en busca de trabajo, donde tendrá que dejar de lado su humildad y adoptar, aunque sea por el momento, un toque de egoísmo.

think that the Mexican applicant is timid; without self-confidence; without the proper training; with low self-esteem; unable to communicate very well; and finally, is an insecure person.

It is quite possible that the Mexican applicant has none of these qualities; but because he's not an individualist, he is unable to communicate his qualifications very well. He avoids communicating with pride and egotism, and although he may be perfectly well qualified, his employment opportunity dies on the spot.

When our Mexican neighbor goes out looking for work, he needs to understand this cultural difference, and adopt, if just for a while, a touch of egotism.

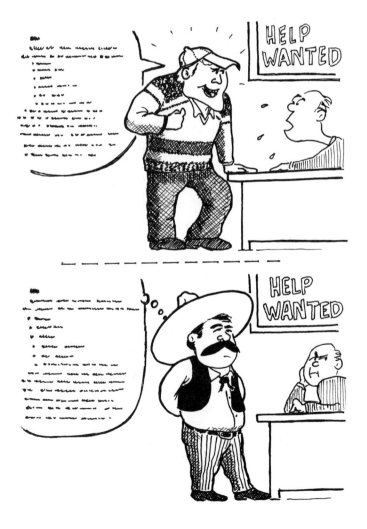

Individualistas y la Confidencialidad

En una ocasión me habló por teléfono un abogado de una ciudad vecina, para pedir mi opinión sobre un caso que tenía, donde su cliente era un hombre mexicano, soltero, de 26 años de edad, miembro de una familia de trabajadores de labor agrícola.

"No sé por qué no puedo comunicarme bien con mi cliente", explicó el abogado americano, "pues el hombre habla más o menos bien el inglés, sin embargo es muy difícil ponernos de acuerdo sobre cualquier cosa".

Le pregunté que me contara algo sobre la familia del hombre.

"Bueno, siempre vienen a mi oficina todos juntos", respondió, "el padre, la madre, dos hermanos mayores, y varios niños. Me llevo al cliente a mi oficina, dejando los demás en el salón de entrada".

¡Allí está el detalle! Le explique al abogado que estaba apartando a su cliente de su apoyo familiar; que este hombre, aunque de 26 años de edad, no iba a decidir nada sin consultar con sus padres y hermanos mayores. Recomendé que los incluyera en las consultas.

El abogado, americano individualista, al principio resistió seguir mi sugerencia, porque chocaba contra sus requisitos de "confidencialidad" en las consultas. Pero le expliqué que su cliente iba a repetirlo todo con su familia comoquiera, y que era importantísimo para él tener la participación familiar.

Unas semanas después se comunicó conmigo el abogado, para decirme que al final aceptó mi sugerencia de incluir a los familiares en las consultas con su cliente. "De repente todo estuvo claro", dijo el abogado. "Ahora nos entendemos bien". Comentó que es diferente trabajar con mexicanos porque "hay que tratar con más gente".

Ésta es una lección que deben aprender no sólo los abogados, sino también los maestros y trabajadores sociales, entre otros que trabajan con familias mexicanas. La necesidad familiar debe ser acomodada antes de tratar con la necesidad de cualquier individuo. A veces resulta en situaciones que los americanos individualistas critican, sin entender que, para algunas culturas, el individualismo no es un alto valor.

Individualists and Confidentiality

On one occasion I received a phone call from an American attorney, who asked my opinion about a case he had, where his client was a 26 year-old Mexican farm worker.

"I don't know why I'm having such difficulty communicating with my client," said the lawyer. "The man speaks English fairly well; yet we can't seem to get together on anything."

I asked about the man's family.

"Well, they all come to my office together," he responded. "His father, mother, two older brothers, some women, and a bunch of kids. I ask them to wait in the waiting room while I talk with my client in my office."

There's the rub! I explained that his client was being separated from his family support system, and although 26 years of age, he wasn't about to make major decisions without consulting with his parents and older brothers. I recommended they be included in his discussions with the client.

The attorney, an individualistic American, at first resisted this idea, since it clashed with his concepts of "confidentiality;" but I explained that his client was going to share everything with them anyway, and that he probably wouldn't be getting anywhere without the family's participation.

A few weeks later, the lawyer called to thank me for the suggestion. "When I included the parents and the older brothers, it was like the dropping of a curtain," he said. "All of a sudden, we were all on the same page." He added that it was different working with Mexicans, because "you have to deal with more people."

This is a lesson that not only lawyers, but also teachers, social workers, and others who work with Mexican families must learn. The family need must be accommodated first, before we deal with an individual's need. Sometimes it leads to situations that individualistic Americans are quick to criticize, not understanding that, for some cultures, individualism is not the highest value.

La disciplina y la ley

Los maestros de escuela me dicen que pueden señalar con facilidad a los niños recién llegados de México, sin que nadie les diga cuáles son. "Los mexicanitos son más respetuosos que los americanitos", dijo un maestro de primaria. "Además, saben lo que es la disciplina. Por lo general, los padres mexicanos son mucho mejores al imponer disciplina dentro de la familia. Lamentablemente, al llegar a los Estados Unidos, la disciplina familiar comienza a desbaratarse y dentro de poco tiempo los estudiantes mexicanos comienzan a portarse con la misma falta de disciplina que sus compañeros americanos".

Esta triste observación la han hecho muchos maestros y otros que trabajan con familias mexicanas en los Estados Unidos. Además, afirman que la decaída de disciplina entre los jóvenes mexicanos llega a tal grado que los mexicanos y sus hijos los chicanos llegan a ser más problemáticos que sus vecinos americanos.

El americano opina que los hijos de su vecino mexicano son más propensos a meterse en líos que sus propios hijos; y cree que su vecino no sabe imponer disciplina como se debe.

Pero, ¿qué está pasando aquí? Por un lado, el americano acusa a su vecino mexicano de imponer demasiada disciplina al "enseñarle respeto" a sus niños, y por el otro lado, lo acusa de criar hijos sin disciplina alguna. ¿Cómo puede ser?

Al llegar a Estados Unidos, el inmigrante mexicano viene con fuertes opiniones sobre la disciplina de sus hijos; pero estas opiniones chocan contra las expectativas de la cultura americana. En años anteriores, la cultura americana también abogaba por la fuerte disciplina física de los niños; pero en años recientes, esto ha cambiado.

Hoy en día no se ve como positivo el castigar a los niños físicamente, sino con razonamiento, y quizás prohibiéndole algo que le guste. En todos los estados de la Unión Americana, hay leyes en contra del llamado "abuso físico" de un menor, y hay "Servicios de Protección al Niño" (CPS, por sus siglas en inglés), que hacen cumplir las leyes. Las agencias CPS hasta tienen la autoridad de quitarle los niños a una familia en la que algún adulto haya "abusado" de ellos.

El "abuso", que se hace con rencor y maldad, es diferente a la "disciplina", que se hace con amor. Sin embargo, el americano y su vecino mexicano ven estas cosas con ojos muy diferentes. Lo que el mexicano llamaría

Discipline and the law

Teachers tell me that they can always tell which children are recent arrivals from Mexico, and which have been here for a while.

"Mexican kids have more respect than American kids," said one elementary teacher. "Also, they know what discipline is all about. Mexican parents are usually better at imposing discipline within the family. Unfortunately, when they get to the United States, family discipline begins to break down, and it's not long before Mexican students are behaving with the same lack of discipline as American students."

This sad observation has been made by many teachers and others who work with Mexican families in the United States. Many also say that the breakdown of discipline between the Mexican parent and his Chicano children is so complete that Chicano kids are generally harder to deal with than American kids.

The American thinks that his Mexican neighbor's kids are more likely to get into trouble than are his own kids, and he blames his neighbor for not disciplining his kids like he should.

But what's happening here? On the one hand, Americans accuse Mexicans of imposing too much discipline when they "teach respect" to their kids. On the other hand, they accuse Mexicans of raising kids without any discipline. How can this be?

The Mexican immigrant arrives in the United States with strong opinions about disciplining children; but these opinions collide with expectations of American culture. Years ago, American culture also approved of strong physical discipline for children; but in recent years, this has changed.

Today, physical punishment of children is no longer approved of. The current wisdom is to reason with the child and perhaps deny something he wants. In every state of the United States, there are laws against "physical abuse" of minors, and agencies like Children's Protective Services (CPS), are in place to protect the rights of children. CPS even has the authority to remove children from a family in which an adult has abused them.

Abuse, carried out with anger and malice, is different than discipline, carried out with love. However, the American and the Mexican see these things from different perspectives. What the Mexican might call "discipline," the American may well call "abuse." Given the power of CPS to inject itself into family affairs, something rarely seen in Mexico, the Mexican immigrant runs the risk of having problems with the law, by simply

"disciplina" fácilmente podría ser "abuso" para el americano. Dado el poder de CPS de entrometerse en los asuntos familiares, algo que es poco común en México, el inmigrante mexicano corre el riesgo de tener problemas con la ley, simplemente por aplicar la disciplina tradicional de su cultura.

Ahora bien; los hijos del inmigrante mexicano se aprovechan de la situación para liberarse de la disciplina familiar. Por lo general, los hijos aprenden mejor el inglés, sirven como intérpretes, y en general saben más que sus padres sobre los sistemas legales y sociales de Estados Unidos. Es más, algunos niños hasta amenazan a sus padres con "llamarle a CPS si me pegan".

El resultado es que algunos padres mexicanos aflojan la disciplina familiar por temor a la ley, hasta tal punto que sus hijos funcionan casi sin límites. Su vecino americano observa cómo algunos niños mexicanos funcionan sin disciplina, integrándose en pandillas y metiéndose en líos, y concluye que el mexicano no sabe controlar a sus hijos.

La familia mexicana puede evitar un sinfín de problemas al ponerle atención al tema de la disciplina. Hay que discutir el tema entre todos los miembros de la familia y buscar ayuda si es necesario.

El recurso principal para el inmigrante mexicano es la escuela local. Las escuelas cuentan con maestros y consejeros capacitados en asuntos de disciplina; y pueden dar orientaciones a padres de familia en cuanto a CPS y cómo imponer una disciplina sana dentro de la familia.

La cultura hispana está orientada hacia la familia y no hacia el individuo. A veces, esto significa el sacrificio de nuestra comodidad personal, por ejemplo cuando compartía la recámara no sólo con mis hermanas, pero también con una prima para ayudar a la familia.

Mis amigos a veces no entienden por qué mi familia siempre asiste a misa los domingos, por qué siempre cenamos juntos, o por qué viven con nosotros ciertos familiares durante los veranos. Esta cercana relación con mi familia me ha concedido una fuerza especial y un sentido de orgullo que ciertamente me ayudarán en la vida.

—Lucy Matos, especialista en seguro médico de Seattle

applying the traditional discipline of his culture.

The children of the Mexican immigrant often take advantage of this situation, seeing an opportunity to liberate themselves from family discipline. Usually, the kids learn English faster, serve as interpreters, and generally know more than their parents do about the legal and social systems in the United States. Some kids will threaten their parents with calling CPS if they are spanked.

The result is that some Mexican parents will loosen their family discipline for fear of the law, to the point that their children function with almost no limits at all. Their American neighbors see how some of their kids behave without discipline, getting into trouble and joining gangs, and conclude that Mexicans don't know how to control their kids.

Mexican immigrant families can avoid a load of problems by paying attention to the issue of discipline, which should be discussed with all family members. They should be willing to get help if needed.

The best resource for the Mexican immigrant family is their local school. American schools are staffed by well-trained teachers and counselors, who can give orientations on CPS and how to maintain a healthy level of family discipline.

The Hispanic culture is "family centered" rather than "individual centered." At times, this means sacrificing personal comfort, like having to share a small bedroom not only with my sisters but also a cousin, in order to help the family.

My friends sometimes don't understand why my family always attends mass on Sundays, why we eat meals together, or why there always seem to be different relatives living with us during the summer. This close relationship with my family has given me a special strength and a sense of pride that can only help me in my life.

—Lucy Matos, Health Insurance Specialist, Seattle

¿Conformista u oportunista?

Se dice que el mexicano es "conformista", o sea, que acepta su papel en la vida, ya sea de abogado, secretaria, campesino, o lo que Dios le haya mandado hacer. Acepta su puesto y se empeña en hacerlo bien. Se dedica dentro de los límites de su papel en la vida y no trata de pasar fuera de esos límites. La persona que vaya más allá de los límites naturales de su papel en la vida es visto como "ambicioso" y "egoísta".

Por el otro lado, es un punto de orgullo para el americano ser considerado "anticonformista". Lejos de criticar a la persona que rebasa los límites de su puesto, el americano pone en alto al "oportunista".

El personaje histórico que mejor ejemplifica el oportunismo americano es Abraham Lincoln, el presidente estadounidense contemporáneo de Benito Juárez. Nacido en humildes condiciones, según la historia, Lincoln se enseñó a leer él solo y con duro trabajo y mucha dedicación llegó al puesto más alto de la nación.

El americano no es bueno para aceptar límites. No acepta que haya un sólo papel bien definido que desempeñar en la vida. Por ello, el americano es gran apoyador de la educación en todas sus fases. Dice que la educación es el "gran nivelador" en la sociedad, y casi siempre tiene escuelas públicas de primera clase. Se garantiza una educación gratuita al hijo del mayor empresario así como al hijo del más humilde inmigrante indocumentado.

En contraste, nuestros amigos mexicanos dicen que dentro de la sociedad mexicana prevalece una distinción entre las clases sociales, un eco de la sociedad feudal española de los conquistadores. Toda persona cabe dentro de su clase y sólo el "egoísta" tiene ambiciones de superar los límites naturales de su clase. Aunque esta distinción se va haciendo menos con el tiempo, dicen que todavía persiste en mayor grado que al norte de su frontera.

Asimismo, los miembros de la familia mexicana tienen sus roles bien definidos: el padre, trabaja para mantener a la familia; el hijo mayor ayuda a su padre; la madre se encarga de asuntos dentro de la casa; la hija mayor ayuda a la madre. Ahora bien: ¿Qué pasa cuando alguno de éstos se sale del programa? ¿Qué pasa, por ejemplo, cuando la madre trabaja y hasta gana más que el padre? ¿Qué pasa cuando el hijo quiere estudiar en vez de ayudar a su padre a ganarse lo suficiente como para pagar la renta?

Estos ajustes son casi obligatorios cuando la familia se muda de México a los Estados Unidos. ¿Qué pasa cuando los miembros de la familia

Opportunistic or role-bound?

Social and family roles are more important in Mexico than they are in the United States. The Mexican is more of a conformist; he accepts his role in life, whatever it is, that God has decided for him, and he works hard to fulfill his role well. He dedicates himself to doing his best, within the limits of his role.

The Mexican who pushes beyond his "natural" role is likely to be criticized for being selfish and ambitious.

On the other side of the river, the American accused of being a non-conformist is actually proud of it. Far from criticizing the person who pushes beyond his "natural" role, Americans praise the "opportunist."

The American icon of opportunism is the man who was born in a log cabin, taught himself to read, became a lawyer, and then became one of our greatest presidents.

Americans are not good at accepting limits. They don't believe that each person has one role to play in life. Americans are strong supporters of education, which they call the "great equalizer." American public schools are almost always first class, where you can find the daughter of a well-to-do businessman sitting next to the daughter of the most humble undocumented farm worker.

By contrast, our Mexican friends tell us that a distinction among social classes persists in Mexico, a distant echo of the feudal society of the Conquistadors. Every Mexican fits into a certain class, and only the "selfish" —a serious put-down in Mexico— entertains ambitions to break out of the natural limits of his class. Although this situation is changing in modern Mexico, our friends say that class considerations are still strong.

In addition to class distinctions, Mexicans are concerned with their personal roles within the family. Dad works to support the family; the oldest son helps Dad; Mom is in charge of affairs within the home; the oldest daughter helps Mom. Now, what happens when someone does something differently? What happens, for example, when Mom goes to work and even earns more than Dad? What happens when the oldest son decides to go to school rather than help Dad pay the rent?

We see these adjustments all the time, when a Mexican family moves to the United States. What happens when the members of an immigrant family change their traditional roles?

What happens is conflict.

inmigrante cambian sus papeles tradicionales?

Lo que pasa es que hay conflicto.

Nuestros amigos consejeros dicen que gran parte del conflicto dentro de las familias inmigrantes se debe al choque cultural entre el conformismo y el oportunismo.

Los consejeros dicen que los conflictos entre la familia resultan cuando uno de sus miembros rompe los límites impuestos por los demás. En la familia mexicana, esos límites pueden ser la consecuencia de su cultura "conformista". La situación se agudiza cuando la familia vive dentro de una sociedad "oportunista". Hemos presenciado varias instancias, por ejemplo, de hombres mexicanos que se oponen a que sus esposas trabajen, o a que sus hijas participen en deportes u otras actividades escolares.

Esto lo hacen no porque sean "malos", ni "machistas", ni "limitados", ni nada por el estilo. Lo hacen porque su cultura original lo indica; porque así fueron las cosas cuando ellos se criaron.

La familia mexicana inmigrante, todavía no radicada del todo dentro de la sociedad de los Estados Unidos, sufre mucha incertidumbre sobre los papeles apropiados de sus miembros. Los padres, criados en otra cultura, imponen límites que los hijos resisten porque "no tienen sentido" dentro de su nueva cultura de oportunismo.

El mismo conflicto se da entre los hombres y las mujeres dentro de la familia inmigrante. Los hombres muchas veces imponen límites que las mujeres resisten, porque ya no aplican sus deberes "tradicionales" y deben adaptarse a nuevas realidades.

Pero no es nada fácil adaptarse cuando se trata de comportamientos culturales. La frustración que resulta de la presión para cambiar, muchas veces lleva a la persona a la violencia. Los consejeros dicen que mucha de la violencia entre miembros de la familia del inmigrante recién llegado se debe al conflicto que resulta cuando un miembro de la familia ya no se comporta según las expectativas "tradicionales".

Es un conflicto cultural entre el conformismo con el pasado y el oportunismo hacia el futuro. Este conflicto se irá calmando a medida que la familia mexicana se vaya acostumbrando al nuevo ambiente de oportunismo en los Estados Unidos. Sin embargo, persiste la tensión cuando se trata de un familiar (por lo general el padre) "tradicionalista", que no puede aceptar las nuevas tradiciones y costumbres de su país adoptivo. En estos casos, es importante consultar con alguien que esté al tanto de los posibles conflictos culturales dentro de la familia inmigrante.

Our counselor friends tell us that a lot of the conflict within immigrant families comes from the tension between the opportunism of the new society and the conformism of the old.

Counselors say that family conflicts arise when one member breaks away from the traditional role expected by the other members. The Mexican family, with its "conformist" tradition, living in the United States, with its "opportunist" tradition, comes under heavy pressure. Dad is challenged when Mom goes to work, or the daughter goes to a school dance or plays sports.

This is not because Dad is a sexist bad guy; it's because that's the way things were when he grew up, with appropriate behavior being defined by his original culture.

The immigrant Mexican family, not yet integrated into American society, is uncertain about the appropriate roles of its members. The parents, raised in a different culture, impose limits that their kids resist as they try to fit into the new culture of opportunism.

Conflict also arises between Mom and Dad in the immigrant family, as he imposes limits that she resists. Traditional roles are different now, and adaptation is necessary.

But adaptation is not easy when it comes to cultural behavior. The frustration resulting from the pressure to change sometimes leads to violence. Counselors tell us that much of the domestic violence within the immigrant family is a result of the stress that comes from the changing roles and expectations of family members.

This is a cultural conflict between a role-bound past and an opportunistic future. It lessens as the immigrant family becomes accustomed to the new atmosphere of opportunism in the United States, but sometimes the tension persists when we have a traditionalist (usually the father) in the family, who has a hard time accepting the new customs and traditions of his adoptive country.

In these cases, it's important to get help from a counselor or other person who understands the cultural conflicts within the immigrant family.

Chapter 3
Capítulo 3

Respect
El Respeto

Respect is the foundation stone of Mexican society. It is also the basis of most of the conflict with Americans, on a national as well as a personal level. The conflict is even more difficult to resolve when the basic term remains undefined, and each side is surprised to learn that the other defines "respect" in a very different way.

In Chapter 3 we take a look at how their different perspectives on respect lead to a host of problems between Mexicans and Americans.

El respeto es la piedra angular de la sociedad mexicana. Es además la base de la mayoría de los conflictos con americanos, ya sea a nivel nacional o personal. El conflicto es aun más difícil de resolver mientras el término básico no esté bien definido, y las partes se asombran al descubrir que el otro define "respeto" de una manera muy distinta.

En el Capítulo 3 señalamos la cantidad de problemas que resultan entre americanos y mexicanos, por sus diferentes perspectivas sobre el respeto.

¿Obstinado o cooperador?

Desde el inicio de nuestro país, el arreglo o la "acomodación" de diferencias ha sido muy necesaria. Compuesta de varios grupos distintos, nuestra "nación de inmigrantes" ha progresado solamente porque los grupos aprendieron temprano que el acuerdo era mejor que el pleito.

El americano cree que los valores personales no pueden tener más importancia que el bienestar de la nación, y por ello hay que llegar a un arreglo entre las partes que disputan. El famoso "compromise" (llegar a un acuerdo o acomodamiento) americano es buscado y puesto en alto para mantener la paz social. El lema central del americano es "majority rules" (la mayoría manda), pero al mismo tiempo son protegidos los intereses y los derechos de la minoría.

Funcionarios y legisladores americanos están muy acostumbrados a esta práctica. Mientras discuten, es una pelea de perros; pero después del voto, debe haber cooperación para llevar a cabo lo decidido, aunque a algunos no les guste. En nuestras Legislaturas no es raro escuchar declaraciones como ésta: "Es una buena ley porque a nadie le gustó; pero es el mejor arreglo que pudimos lograr, así que vamos adelante".

La historia de nuestros vecinos mexicanos es otra. La historia de los grupos originales en México es más bien de contienda y no de cooperación. Ya sabemos lo que le pasó a Moctezuma cuando trató de acomodar a los españoles. Ya sabemos lo que le pasó a su país cuando trataron de cooperar con los primeros americanos anglosajones en Texas.

Desde la perspectiva histórica, está claro que el mexicano no se ha beneficiado mucho por el acomodamiento; al contrario, ha sufrido. Para nadie es sorpresa que el mexicano es una persona que difícilmente confía de otros. El mexicano no pone en alto el acomodamiento como lo hace el americano, pues para él, el acomodamiento siempre ha significado que va a perder.

Ahora, ¿qué pasa cuando el mexicano viene a vivir a Estados Unidos, "la tierra de los arreglos"?

Los americanos dicen que sus vecinos mexicanos son tercos; que son difíciles de convencer; que no cooperan; que no participan en la comunidad; y que se mantienen apartados.

Por el otro lado, los mexicanos dicen que sus vecinos americanos son tramposos; que hacen cualquier arreglo, pero sin honor; y que su palabra no tiene valor.

Honor-bound or compromising?

From the beginning of the United States, the accommodation of differences was necessary. Composed of many different groups, our nation of immigrants has progressed only because these groups learned early that compromise was better than struggle.

The American believes that personal values are not more important than the welfare of his country, and so he encourages negotiation and agreement between disputing parties. Social peace is maintained by the typically American value of compromise. The American's motto is "majority rules," but at the same time, the rights of the minority are protected.

American politicians are accustomed to fighting like dogs and cats until the vote is taken; and then cooperating to implement the decision, even though some may not like it. Comments like the following are common in American legislatures: "It's a good law, because nobody really liked it; but it was the best compromise we could get, so now we move on."

The history of our Mexican neighbors is different. The original Mexican groups were distinguished by struggle rather than by cooperation. We all know what happened to Moctezuma when he tried to compromise with the Spaniards, and what happened to Mexico when it tried to accommodate early Americans in Texas.

From a historical perspective, it seems clear that Mexicans have not benefitted much from compromise; on the contrary, they have suffered. It's no surprise that the Mexican has a hard time trusting others. He does not value compromise like the American does. To him, compromise means that he's going to lose.

So what happens when the Mexican comes to live in the United States, the "land of compromise?"

Americans say that their Mexican neighbors are stubborn, difficult to convince of anything, and uncooperative; that they don't participate in the community, keeping themselves separated.

On the other side of the fence, Mexicans say that their American neighbors are tricky; that they'll make any agreement, but without honor, and that their word means nothing.

The Mexican sees a group of people he doesn't know and he sees possible enemies. The American sees a group of people he doesn't know and he sees possible opportunities.

Mexicans have developed a strong sense of personal honor to survive

El mexicano ve un grupo de personas que no conoce y se imagina que está rodeado de posibles enemigos. El americano ve un grupo de personas que no conoce y se imagina que aquí hay oportunidades.

Para el mexicano ha sido importante desarrollar un sentido de honor personal para sobrevivir en un mundo inestable. Es importantísimo preservar su sentido de honor personal, pues ¿qué más hay? En un mundo lleno de traiciones, hay que ser fiel para con uno mismo. Es por eso que muchas veces ve la acomodación como una traición al honor personal. Para él, "mejor morir de pie que vivir de rodillas".

Muchos americanos han comentado que este aspecto de la cultura mexicana es similar a las culturas asiáticas, donde el concepto de honor personal es central. Dicen que el concepto de "saving face" (llegar a un acuerdo con honor), común dentro de las culturas asiáticas, es también importante cuando se trata con mexicanos.

El americano, producto de una cultura donde "saving face" no es un alto valor, porque puede entorpecer el proceso de cooperación, muchas veces tropieza contra la necesidad del mexicano de preservar su concepto personal de honor. El americano a veces parece funcionar "sin honor", porque es más importante para él llegar al arreglo para seguir adelante.

El americano no entiende por qué el mexicano a veces prefiere no seguir adelante que llegar a un acuerdo; el mexicano no entiende por qué el americano prefiere llegar a un acuerdo que mantener intacto su honor personal. El americano concluye que el mexicano es obstinado, mientras que el mexicano concluye que el americano es demasiado dispuesto a llegar a cualquier acuerdo.

Cuando ocurre este enfrentamiento entre los vecinos incómodos, debemos tomar una pausa y reflexionar sobre las raíces históricas de sus características culturales, y recordar que se trata de diferencias que no debemos menospreciar, sino entender y respetar.

in an unstable world. Personal honor is extremely important, for what else is there? In a world full of betrayal, one must be faithful to oneself. Compromise will often be seen as a betrayal of one's personal honor. For the Mexican, Zapata's words still ring true: "Better to die on your feet than live on your knees."

Americans have observed that this aspect of Mexican culture is similar to Asian cultures, where the concept of personal honor is fundamental. It is said that the concept of "saving face" (compromise with honor), common to many Asian cultures, is also important when dealing with Mexicans.

The American, product of a culture where "saving face" is not highly valued, since it could get in the way of reaching a compromise, will not be very patient with the Mexican's need to preserve his personal honor. To the Mexican, it seems that the American acts "without honor," because it's more important for him to get agreement and move on.

The American doesn't understand why the Mexican sometimes prefers not to move on rather than compromise; and the Mexican doesn't understand why the American prefers to compromise rather than maintain his personal honor. The American concludes that the Mexican is too stubborn, and the Mexican concludes that the American is too accommodating.

It's important to remember that cultural collisions like this one have historical roots. Rather than personalize our differences, we need to back away and take a look at the big picture, and replace our anger with understanding and respect.

El concepto del respeto

El concepto del respeto es fundamental entre los seres humanos. Lamentablemente, cada una de las culturas humanas tiene una definición distinta de este concepto. Lo que sea aceptable y respetuoso dentro de una cultura, puede ser chocante y ocasión de pleito en otra.

Por ejemplo, un hombre libanés me explicó que la palabra "gracias" puede ser un insulto en su país.

"Ustedes los americanos dicen 'gracias' todo el tiempo", dijo, "aun cuando no es necesario. En mi país, decirle 'gracias' a alguien por algo que debiera haber hecho comoquiera, es un insulto; pues no hacemos las cosas para que nos digan 'gracias'. Fue difícil para mí acostumbrarme a oír tanto una palabra que, en mi país, sería algo chocante".

Por el otro lado, el americano que no escucha la palabra "gracias" piensa que la otra persona es mal educada; que no sabe agradecer ni respetar a otras personas.

El concepto de respeto es visto muy diferente entre los vecinos incómodos. Para el mexicano, el respeto es la piedra angular de su cultura; sin ello, no puede haber nada más. Debe haber respeto entre todas las personas, incluyendo a los desconocidos; pues todos somos hijos de Dios y merecemos ser respetados antes que nada. Pero su vecino americano no ve las cosas así. Para el americano, el respeto es algo que se tiene que *ganar*. "¿Por qué he de respetar a esa persona?" se pregunta el americano, "pues no ha hecho nada para ganar mi respeto".

Para el mexicano, no se debe tener que hacer nada para ganarse el respeto de otros; pues es algo fundamental que todos deben tener. Sin embargo, sí es algo que puede perderse, según el comportamiento de la persona.

Puesto que el respeto es fundamental para el mexicano, también lo es el respeto para uno propio; o sea, su honor personal. El mexicano tiene bien definidos los límites de su honor personal, y para nada permitirá que esos límites sean violados. Cuando de su honor personal se trata, el mexicano puede ser la persona más obstinada del mundo.

Por el otro lado, el americano cree que su vecino mexicano es algo tarugo, y a veces su comportamiento es totalmente incomprensible para el americano que no esté al tanto del concepto mexicano de respeto. Para el americano, el honor personal es un concepto menos absoluto, que puede y debe cambiar según las circunstancias.

The concept of respect

Respect is a fundamental concept among human beings. Unfortunately, every human culture has its own definition of it. The very same behavior that would be acceptable and respectful in one culture could be seen as obnoxious in another.

An example of this, a Lebanese man once explained to me, can be found in a simple "thank you."

"You Americans are always saying 'thank you,'" he said, "even when it's not necessary. In my country, saying 'thank you' for doing something the person should have done anyway, is an insult. We don't do things for each other to be thanked. When I came to the United States, it was difficult to get used to hearing words that, in my country, would be offensive."

But for the American, the person who doesn't say "thank you" very often hasn't been very well brought up; he's an ingrate who is showing no appreciation or respect for others.

The concept of respect is seen very differently between our uncomfortable neighbors. For the Mexican, respect is the cornerstone of his culture; without it, there can be no relationships. Everyone starts out with respect for everyone else, since we are all children of God and we all deserve respect as such. But his American neighbor doesn't see things that way. For him, respect is something that must be *earned*.

"Why should I respect him?" asks the American, "he hasn't done anything to deserve my respect." How often have we heard that one!

For the Mexican, you don't have to do anything to gain the respect of others, since it is something we all start out with. However, by your behavior, the respect of others is something you could lose.

Since the idea of respect is fundamental to the Mexican, so is the idea of self-respect, or personal honor. The Mexican has a well-defined sense of personal honor, and will not allow any encroachment on the boundaries he has set. When it comes to his sense of personal honor, the Mexican can be the most stubborn person in the world.

The American thinks that his Mexican neighbor can be pretty stubborn. To the American unaware of the Mexican concept of respect and personal honor, his Mexican neighbor's behavior may at times be incomprehensible. To the American, personal honor is less absolute, and may be redefined according to the circumstances.

The American knows that he has to be more careful when dealing

El americano sabe que hay que ser más delicado cuando trata con mexicanos; pues para él, es fácil ofenderlos. El americano es una persona más abrupta; menos paciente; y menos enfocado en el honor personal, suyo o de otros. Es capaz de "faltarle al respeto" a su vecino mexicano sin saberlo; pues no entiende que sus conceptos de respeto son tan distintos.

"Yo no entiendo cómo es posible que el respeto sea tan importante para los mexicanos", dijo una amiga americana, "pues vienen a mi país y me chiflan y me dicen toda clase de grosería; eso no es respeto".

Yo le expliqué que siempre existen las excepciones. Muchos jóvenes mexicanos vienen a Estados Unidos a trabajar, dejando atrás familia y cultura, que son los "frenos" naturales del comportamiento social. Habiendo sido criados en México, ellos saben bien que le están faltando al respeto; pero también creen que en Estados Unidos "todo se permite".

Es de gran importancia para los vecinos incómodos entender bien sus respectivos conceptos del respeto, que entre ellos, como afirmó Benito Juárez, "es la paz".

with Mexicans, since it's pretty easy to offend them. The American is more abrupt, less patient, and less concerned about personal honor, his or of others. Not realizing that their concepts of respect are so different, he's capable of disrespecting his Mexican neighbor without knowing it.

"I don't understand how respect can be so important to Mexicans," says an American friend. "They come to my country and whistle at me and say all kinds of vulgar things. That's not respect."

I explained to her that there are always exceptions. Many young Mexican men come to the United States to work, leaving behind the natural controls over social behavior, the family and the culture. Having been raised in Mexico, they knew perfectly well that they were disrespecting her; but they also think that in the United States, "anything goes."

The statement of Benito Juárez, the beloved Mexican president at the time of Abraham Lincoln, is often quoted by Mexicans today. "Respect for the rights of others," he said, "is peace." Juárez added that this not only applies between nations, but also between neighbors.

El respeto entre vecinos

El concepto de respeto es diferente para los vecinos incómodos. Para el mexicano, es absoluto y fundamental; para el americano, es relativo e importante, pero no tanto. Dijimos que el americano, siendo una persona más abrupta y menos paciente, fácilmente ofende a su vecino mexicano, por no entender los límites de su percibido honor personal (o respeto propio).

Un amigo sicólogo explicó que el concepto de honor personal de los mexicanos es similar al de los asiáticos, entre ellos los chinos y japoneses, para quienes este concepto es de suma importancia. El concepto asiático en inglés se llama *saving face*; y el americano que quiera hacer negocio en los países asiáticos deber tener buen conocimiento de este concepto. De hecho, las grandes empresas que hacen negocio en estos países dan entrenamiento a su personal sobre *saving face*.

Un aspecto de *saving face* es de pedir disculpas a menudo por la ignorancia de uno. Además, se preserva el honor personal si se comunica en términos positivos en vez de negativos. Por ejemplo: *"Me ayudaría mucho si me hicieras el trabajo así y así; sí, gracias; ¡así me gusta!"* es una forma positiva que corrige los errores del empleado al mismo tiempo que se preserva su honor personal. Pero qué tal si lo decimos así: *"¿Qué pasa contigo? Me estás haciendo todo esto mal; te lo he dicho varias veces; hay que hacerlo todo de nuevo"*. De esta forma negativa, aunque hayamos corregido los errores del empleado, también le faltamos al respeto, y ya no será el empleado dedicado de antes.

Es irónico que el concepto de *saving face*, perteneciente a culturas a medio mundo de distancia, sea tan bien reconocido entre los americanos, mientras que el concepto mexicano de respeto pasa casi desapercibido. Es más, el americano confunde el concepto de respeto con el famoso *machismo* mexicano, lo que, en verdad, no tiene nada que ver con el respeto tradicional.

El mismo idioma del mexicano exige intercambios respetuosos con el uso de *usted* en vez de *tú*, cuando la cultura lo indique. En el México tradicional de los años 50 y 60, la distinción era más estricta de lo que hoy se encuentra. Entonces se usaba el informal *tú* sólo entre familiares y amigos. Aunque ahora se escucha mucho más el *tú*, todavía existe el formal *usted* para situaciones donde mayor respeto es lo indicado.

Por el otro lado, el americano no se preocupa de *tú* ni de *usted*; pues

Respect between neighbors

The concept of respect is different between the uncomfortable neighbors. For the Mexican, it is absolute and fundamental. For the American, it is relative and important, but not all *that* important. The American, being more abrupt and less patient, can easily offend his Mexican neighbor, not understanding the limits of his personal honor (or self-respect).

A psychologist friend once explained that the concept of personal honor is similar among Mexicans and Asians, including the Chinese and Japanese, for whom this concept is of primary importance.

The Asian concept is that of *saving face*; and the American businessman who expects to succeed in Asia had better understand it well. In fact, many companies doing business in Asia give employee training sessions on *saving face*.

One aspect of saving face is asking forgiveness often for one's ignorance. Also, communication is positive rather than negative in order to preserve personal honor. For example, "Juan, it would really help me if you could do it like this and like this; yes, thank you; that really helps!" This is a positive form of communication that helps to preserve Juan's personal honor, at the same time we correct his errors.

But what happens if we say, "Juan, what's the matter with you? You're doing this all wrong; I've told you several times; now you're going to have to do it all over again." Although we've corrected the employee's errors, our negative communication has disrespected him, and we'll no longer have the dedicated employee we once had.

It's ironic that the concept of saving face, belonging to cultures half a world away, should be so much better known among Americans than the Mexican concept of respect.

To make matters worse, the American confuses the concept of respect with Mexican *machismo*, which, in fact, has nothing to do with traditional respect.

Even the Mexican's language demands respectful interaction by the use of *usted* (the formal "you") rather than *tú* (the familiar "you"), in situations dictated by the culture. In the traditional Mexico of the '50's and '60's, the distinction was stricter than what we find today. Back then, *tú* was used only among close friends and family members (except for Mom and Dad, who were always *usted*). Nowadays, although we hear the *tú* much more often, the formal *usted* is still required when greater respect

para él, todos somos *you*. Su idioma no contiene esa distinción y cuando aprende el español, se le dificulta saber cuándo debe usar *tú* y cuándo usar *usted*. El americano, siendo menos atento al asunto del respeto, tiende a usar *tú* más de lo debido; así como lo hacen los chicanos.

Hemos visto incontables situaciones donde un empleado chicano saluda al cliente mexicano con un chocante *¿Cómo estás?* Y no con el *¿Cómo está usted?* que se merece. Los chicanos, criados en Estados Unidos, tienen el mismo problema que los americanos con el mal uso del *tú*.

Para los mexicanos, es importante saber que esto no significa una falta intencional al respeto; sino que indica una falta de conocimiento sobre este aspecto de la cultura mexicana.

is indicated.

Americans, however, don't worry about formal or familiar; since everyone is simply *you*. Their language doesn't make that distinction, and when they learn Spanish, they have a hard time knowing when to use *tú* or *usted*. Americans, less focused on the issue of respect, tend to use *tú* more often than they should, like Chicanos do.

We have witnessed countless interactions, where a Chicano employee will greet a Mexican client with an unpleasant *¿cómo estás (tú)?* instead of the more polite *¿cómo está usted?* Which would be indicated. Chicanos, raised in the United States, have the same problem as Americans do, with the inappropriate use of *tú*.

For Mexicans, it is important to know that this does not indicate a lack of respect, but rather a lack of understanding about this important aspect of Mexican culture.

El respeto y el humor

El humor es particular a cada cultura. Algo que sea muy chistoso dentro de una cultura puede ser un grave insulto en otra. El humor es el último paso, por ser el más complicado, en el aprendizaje de un idioma. Hasta yo, siendo mayormente bilingüe, pocas veces me atrevo a contar un chiste en español, por temor a ofender a alguien.

El humor entre los hombres es muchas veces de desprecio; una persona ofende a otra en una situación que, de no tratarse claramente de humor, sería un grave insulto. Esto se da tanto entre los americanos como entre los mexicanos, aunque las mujeres de ambas culturas son menos propensas a los insultos entre sí.

Es muy común el saludo irrespetuoso entre los hombres que son amigos. *"¡Uuuu! ¡Miren nomás! ¡Aquí dejan entrar a cualquiera – ya llegó el gordo!"*

Pero cuidado cuando se trata de un saludo entre americanos y mexicanos; pues aunque sean amigos, existe mucho entre ellos justo debajo de la superficie, por el hecho de ser productos de distintas culturas. Al no saber perfectamente bien todos los pequeños aspectos de ambas culturas, entrarán las dudas: *"Por qué me habla así este mexicano? ¿Se estará burlando de mí?"*

Entre los americanos se usa el humor entre recién conocidos como método de calmar las tensiones y mejorar la comunicación. Esto lo llaman "breaking the ice" (romper el hielo), y es muy común entre políticos u oficiales que hacen una presentación pública.

He notado que los americanos muchas veces comienzan sus discursos con el humor, mientras que los mexicanos no. Vea usted cuánto humor usa el presidente americano, en comparación con su colega mexicano.

Muchos americanos tienen el lamentable hábito de usar el humor con gente que no conoce bien, lo que supuestamente "rompe el hielo" y facilita la comunicación. Pero cuidado si esa gente es mexicana; porque el mexicano no tiene el concepto de "romper el hielo". Dentro de su cultura, no se supone que exista el hielo entre la gente sino el respeto.

En una ocasión estuve en una reunión entre padres de familia mexicanos y oficiales americanos de un distrito escolar local. El oficial encargado, un americano que hablaba español, comenzó la reunión contando chistes; pero los únicos que se rieron fueron los empleados y otros oficiales. Los padres mexicanos parecían estar confundidos por el extraño

Respect and humor

Humor is peculiar to each culture. Something that may be hilarious in one culture could be a grave insult in another. Humor is complicated; it's the last thing you learn when learning a language. Although bilingual, I hesitate to tell a joke in Spanish, for fear of offending someone.

Among men, Mexicans as well as Americans, put-down humor is common. If it weren't clearly understood to be humor, it would be seriously insulting. The women of both cultures aren't nearly as interested in this form of humor.

"Hey, you mangy dog! I thought I smelled something in here! How've you been?"

The put-down greeting between men is usually (but not always) reserved for good friends. But watch out when it's a greeting between an American and a Mexican! Even if they are friends, there's a lot between them just beneath the surface, a consequence of their different cultures. Unless all the small cultural differences are perfectly understood, there could be trouble: *Why is this American talking to me like that? Is he making fun of me?*

Americans use humor when they meet people, as a way of lessening tension and improving communication. This is called "breaking the ice," and is very common among officials and politicians when making speeches. Americans often begin a speech with a little humor, but not Mexicans, as can be seen by comparing the use of humor by the American and Mexican presidents.

Many Americans have the unfortunate habit of using humor with people they don't know very well, which supposedly breaks the ice. But careful if those people are Mexicans, who don't have the concept of breaking the ice. For them, it's not ice between strangers — it's respect.

On one occasion I attended a school district meeting for Spanish-speaking parents. The moderator, a district administrator who spoke Spanish, began the meeting with a few jokes. But the only people who seemed to appreciate the humor were the other district officials present; certainly not the Mexican parents, who sat stone-faced and wondered at this strange behavior.

After the meeting, one of the parents asked me, "Why did that man behave like a clown? How can we respect a person who disrespects himself?"

comportamiento del oficial.

Después de la reunión, me preguntó un padre: "¿Por qué se portó como un payaso ese hombre? ¿Cómo es posible respetar a un hombre que se falta al respeto a sí mismo?"

Es muy fácil para el mexicano percibir el humor del americano como una burla irrespetuosa. En otra ocasión ("¿Superior o inferior? p 134) señalamos el sentido de inferioridad que tiene el mexicano ante su vecino americano, lo que dificulta aun más la comunicación entre ellos. Usar el humor, lejos de mejorar la comunicación, puede empeorarla.

En otra ocasión me llamó una amiga que quería someter una queja contra un doctor americano que trabajaba en la sala de emergencia de un hospital local.

"Acompañé como intérprete a un señor mexicano a la sala de emergencia", me contó la amiga. "Se le había atorado dentro de un oído una ramita que usaba para rascarse. Después de sacarle la ramita, el doctor americano se rió y le dijo, 'Te van a arrestar si te sigues robando pedazos de la huerta'. El pobre señor se sintió muy ofendido y me preguntó, '¿Me está diciendo ladrón?'"

El humor, tan necesario para el bienestar del ser humano, también puede ser la causa de fuertes choques entre personas de distintas culturas. Para los americanos que quieran conocer mejor a sus vecinos mexicanos, les advertimos que el humor fácilmente puede ser percibido como una falta al respeto.

It is easy for the Mexican to perceive American humor as disrespectful mockery. Elsewhere (See "Superior or Inferior?" p. 135) we talk about the feeling of inferiority the Mexican has, and how that can make communication between him and his American neighbor even more difficult. The use of humor, far from improving communication, can make it worse.

On another occasion a friend of mine called to say she wanted to submit a complaint against an American doctor who worked in the local Emergency Room.

"As an interpreter, I accompanied a Mexican gentleman to the Emergency Room," she said, "because he got a little stick stuck inside his ear, which he was trying to clean out. After removing the stick, the American doctor laughed and said, 'They're going to arrest you if you don't stop stealing from the orchard.' The poor gentleman was offended, and said, 'Are you calling me a thief?'"

Humor, so necessary for human well-being, can also be the cause of serious cultural collisions. We need to warn our American friends who wish to get to know their Mexican neighbors a little better, that the use of humor can easily be mistaken for a lack of respect.

El respeto y la educación

Una de las partes más interesantes del libro biográfico *Lluvia de oro* de Víctor Villaseñor, fue cuando el tío le "enseña respeto" al sobrino, dándole una buena golpiza. En el México tradicional de años atrás, "enseñar a respetar" y darle una paliza al niño eran la misma cosa, y hoy en día muchos mexicanos que ahora son padres, bien recuerdan sus "lecciones".

Muchos padres mexicanos, criados en ese ambiente, todavía "enseñan respeto" de esa manera. El problema es que lo hacen en Estados Unidos, donde sus vecinos americanos por lo general no están de acuerdo con ese método.

Ya vimos que el respeto es el concepto fundamental de la cultura mexicana; pero no es así dentro de la cultura americana, donde golpear a una persona es por definición faltarle al respeto, y donde hasta los niños tienen derechos legales y humanos.

Muchos padres mexicanos han encontrado, para su gran pesar, que "enseñarle respeto" a sus hijos puede ser hasta un crimen en Estados Unidos, donde se protegen, a veces exageradamente, los derechos de los niños.

El resultado de este choque cultural es que el mexicano acusa a su vecino americano de criar niños que no saben respetar, mientras que el americano acusa al mexicano de abusar de sus hijos.

Para el mexicano, el propósito principal del sistema educativo debe ser el de enseñar respeto; de inculcar en los niños las normas aceptables del comportamiento social. Muchos padres mexicanos animan a los maestros a "darle sus nalgadas" si lo merece el niño.

Para el americano, el propósito principal del sistema educativo debe ser el de enseñar asuntos académicos, y bajo ninguna circunstancia daría permiso al maestro de darle nalgadas a su niño.

El mexicano hace una conexión estrecha entre el respeto y la educación. En las reuniones entre padres y maestros celebradas en escuelas de Estados Unidos, lo primero que preguntan los padres mexicanos es: *¿Se está portando bien?*, mientras que los padres americanos preguntan: *¿Está sacando buenas notas?*

Para el mexicano *ser maleducado* significa no saber respetar; no saber comportarse bien; y la culpa reside en los padres de la persona. Para su vecino americano, la persona *uneducated* es alguien que no tiene conceptos académicos, y la culpa reside en el sistema escolar.

Respect and education

In the biographical *Rain of Gold* by Víctor Villaseñor, the uncle takes the nephew for a ride to "teach respect," and ends up giving him a beating. In the Mexico of years ago, teaching respect and giving a beating were the same thing, and many Mexicans who are parents today remember well their own "lessons."

There are lots of Mexican parents today who were raised in that atmosphere, and who still "teach respect" in that way. The problem is they do it in the United States, where their methods are usually not appreciated.

Respect is a fundamental concept in Mexican culture; but not so in American culture, where beating someone is by definition a lack of respect, and where even children have legal and human rights.

Many Mexican parents have found, to their great sorrow, that "teaching respect" to their children could be a crime in the United States, where the public can be very protective of children's rights.

The result of this cultural collision is that the Mexican accuses his American neighbor of raising children who don't respect others, while the American accuses the Mexican of abusing his children.

For the Mexican, the main purpose of the educational system is to teach respect; to instill in children the norms of acceptable behavior. Mexican parents often encourage teachers to give their child a smack on the behind if they deserve it.

For the American, the main purpose of the educational system is to teach academic concepts, and under no circumstances would teachers be encouraged to spank a child.

The Mexican parent makes a close connection between respect and education. At parent-teacher conferences in the United States, Mexican parents will ask "is he behaving himself?" while American parents will ask, "is he getting good grades?"

For the Mexican, to be "badly educated" (*mal educado*) is to be disrespectful; to show bad behavior. The fault lies with the parents. For the American, a badly educated or uneducated person is someone who is lacking in academic concepts; and the fault lies with the educational system.

On one occasion four women gave birth the same day, three Americans and one Mexican. The local newspaper interviewed them, asking what was the most important thing about raising a child today.

The American women responded, "it's having someone to share your

En una ocasión el periódico local entrevistó a cuatro madres que dieron a luz el mismo día. Tres de ellas eran americanas, una era mexicana. Les preguntaron cuál es el factor más importante en la crianza de un niño.

Las americanas respondieron: "Es tener alguien con quien compartir la vida;" "Es el amor que se le tiene que dar;" y "Es el amor que nos dan a nosotros".

Por el otro lado, la madre mexicana dio una respuesta perfectamente de acuerdo con su cultura: "Es enseñarle a respetar a otras personas".

El americano y su vecino mexicano sí están de acuerdo en algo: Que los padres son los principales responsables de enseñar el respeto a sus niños. Sin embargo, desde ese punto de partida, comienzan las diferencias. La definición de "respeto", su importancia dentro de la cultura, y la parte que deben tomar el maestro y la escuela son puntos importantes de diferencia que siguen causando choques entre los vecinos incómodos.

life with," "it's the love you have to give them," and "it's the love they have for you."

The Mexican woman, on the other hand, gave an answer perfectly in tune with her culture: "it's teaching him to respect other people."

The American and his Mexican neighbor do agree on one thing; that parents are responsible for teaching respect to their children. However, from that starting point, the differences begin. The definition of *respect*; it's importance within the culture, and the role of teacher and school are important points of difference that continue to cause collisions between the uncomfortable neighbors.

La falta de respeto

La falta de respeto no es lo mismo para el mexicano que para el americano. No puede ser; pues tienen distintos conceptos del asunto.

Es curioso que ambos vecinos creen que el otro es una persona irrespetuosa. El mexicano ve cómo el americano habla de *tú* con todo el mundo, y cómo acepta el "mal comportamiento" de sus hijos. El americano ve cómo el mexicano trata "con rudeza" a las mujeres y a sus hijos, y cómo se mete en líos con la ley. Desde el punto de vista de cada uno, el otro está "faltando al respeto".

En todas las culturas existen gestos y ademanes irrespetuosos para manifestar nuestro desacuerdo o rechazo. Estos gestos y ademanes son particulares a cada cultura. Es más; a veces el mismo gesto significa cosas opuestas, según la cultura. Un gran número de choques culturales comienza con un gesto mal entendido.

Cuando uno se pone a reflexionar sobre este complicado tema, se da cuenta de lo peligroso que es el gesticular dentro de una cultura ajena. Aunque muchas muecas faciales son universales, ¡mucho cuidado con los gestos de manos!

Por ejemplo: El americano suele señalar con el dedo índice a cualquier cosa, incluyendo a las personas. Pero el mexicano nunca, pero nunca, señala con el dedo a una persona, pues eso es para los perros, no para la gente. Al mexicano no le gusta para nada que le señalen con el dedo, lo que para él es una falta al respeto. Pero su vecino americano, no sabiendo esto, felizmente señala con el dedo a todo el mundo.

Otro ejemplo: El americano truena los dedos para señalar que quiere que algo se haga rápido. Los padres de familia lo hacen a sus hijos, los patrones a sus empleados, y los entrenadores a sus jugadores (¡aunque nunca entre esposo y esposa!). Pero cuando el americano truena los dedos a su vecino mexicano, cuidado; porque éste considera que tronar los dedos a otra persona es una grave falta de respeto; pues eso sólo se hace a los animales.

La universidad de Texas tiene como mascota el "Longhorn", una especie de res con cuernos largos. La señal de solidaridad entre los estudiantes ocasiona risa entre los mexicanos; pues no es otra que la misma señal que, para ellos, son "los cuernitos".

No es raro escuchar chiflidos entre americanos que buscan la atención de alguien en un ambiente ruidoso, aun entre personas que no se

The lack of respect

Since the American and Mexican concepts of respect are so different, it follows that showing a lack of respect, or "disrespecting," will also be different.

It is interesting that both of our uncomfortable neighbors think that the other is disrespectful. The Mexican hears his American neighbor speak in the familiar *tú* with everyone, and sees how he tolerates the bad behavior of his children. The American sees how "rudely" his Mexican neighbor treats his wife and children, and how he gets in trouble with the law. From each one's own point of view, the other is showing a lack of respect.

In every culture there exist gestures of disrespect, to show our rejection or disapproval. These gestures are particular to each culture. Although many gestures are similar in different cultures (the smile, the open hand), there are also instances of the same gesture having different or even opposite meanings. Lots of cultural collisions have their beginnings in a misunderstood gesture.

When we consider how differently our gestures may seen in other cultures, we realize how dangerous it may be to "talk with our hands." Although facial gestures seem to be more universal, be careful with those hand signals!

For example, the American will point things out, including people, with his index finger. But Mexicans never, absolutely never, point at people with the index finger. That's how you point at dogs or other animals, but never people! When an index finger is pointed his way, the Mexican is offended by this show of disrespect. But his American neighbor, not knowing this, happily goes around pointing at everyone.

Americans are also known to snap their fingers once in a while, to indicate that they want something done faster. Parents will snap fingers at their kids, bosses to employees, and coaches to players (but the husband had better not do this to the wife!). But when an American snaps his fingers at a Mexican, look out; since this would be considered a grave lack of respect, reserved only for animals.

The University of Texas has the Longhorn for a mascot. Their "hook 'em 'horns" signal, index and little fingers raised, never fails to bring smiles to Mexicans, for whom that gesture is the vulgar equivalent of "flipping someone off."

conocen bien. Pero entre mexicanos, el chiflido es reservado para buenos amigos; pues de otra manera significa un sonido de desprecio, de rechazo. En el estadio de fútbol los chiflidos equivalen al abucheo. Cuando el americano, no sabiendo esto, le chifla a su vecino mexicano, éste ha de pensar que le está faltando al respeto.

En otra ocasión (vea "¿Alto o bajo volumen?", p. 138) notamos que el americano usa mayor volumen de voz que su vecino mexicano; y que, para el mexicano, "gritar" a alguien es una falta al respeto. Pero el americano, acostumbrado a funcionar en un ambiente de mayor volumen, a veces le habla a su vecino con voz que, para el mexicano, es demasiado alta. El mexicano piensa que su vecino le está "gritando", y se siente ofendido.

Los choques culturales ocurren a menudo entre representantes de culturas que no se entienden bien. A veces no saben por qué están chocando; sólo saben que hay conflicto. Entre mexicanos y americanos, muchos conflictos ocurren por sus diferentes conceptos del respeto.

Es muy difícil, trabajando principalmente con gente no indígena, la mayoría de ellos anglos que no tienen ningún concepto del respeto, no sólo para nuestra cultura, sino también para las demás culturas que nos rodean, y no tienen ningún concepto de la amabilidad y la generosidad que está disponible aun para ellos, si sólo aprendieran el valor del respeto.

—Joanne Groves, miembro de la nación indígena Yakama, citada en un informe de la Comisión de Derechos Humanos del Estado de Washington, Junio, 1992.

It's not uncommon to hear Americans whistle at each other to get attention, especially in a noisy environment. This happens even between people who don't know each other. But among Mexicans, whistling is reserved for good friends. Otherwise, it is a sound of rejection; a put-down. In Mexican soccer stadiums, whistling is equivalent to booing. When the American, not knowing this, whistles to get his Mexican neighbor's attention, the neighbor is likely to be offended by this disrespectful gesture.

Elsewhere (See "Outspoken or softspoken?", p. 139) we've noted that the American is usually louder than the Mexican, for whom "yelling" is a gesture of disrespect. But the American, accustomed to operating at a higher volume, may tend to speak at a volume that his Mexican neighbor will consider too loud. The Mexican, thinking that he's being "yelled at," will feel offended.

Cultural collisions occur often between people who don't understand the culture of the other person very well. Sometimes, all they know is that there is a problem, but they don't know why. Many of the collisions between Mexicans and Americans can be traced back to their different concepts of respect.

It's very difficult, working mainly with non-Indian people, mainly Anglo people who have no sense of respect, not only for our culture, but for the other cultures around us, and have no sense of the graciousness and the sharing that is available even to them, if they would only learn about the value of respect.

—Joanne Groves, member of the Yakama Indian Nation, quoted in a report by the Washington State Human Rights Commission, June, 1992.

'Mírame a los ojos'

¡Cuántas veces hemos escuchado esa frase! "Mírame a los ojos cuando te hablo"; una frase netamente americana. El americano cree que si no hay contacto de ojos, no puede haber comunicación. Para el americano, el mirarle a los ojos a alguien indica franqueza, honestidad, capacidad. El americano que no le mire a los ojos, es porque esconde algo.

Esta peculiaridad americana es rara. En el mundo entero, sólo los originarios del norte de Europa comparten esta extraña práctica. Para el resto del mundo, es una falta al respeto mirarle a los ojos a alguien quien no conoce, o a alguien "superior" en la escala social. En particular es agresivo mirarse a los ojos por más de un instante entre hombres y mujeres. Para el resto del mundo, el evitar mirarle a los ojos es una señal de respeto.

Cuando los europeos conquistaron América, enseñaron brutalmente a los indígenas que mirar a los ojos a sus "mejores" conllevaba un castigo severo, que hasta incluía la muerte.

Hoy en día, cuando el hijo mexicano le mira a los ojos a su padre, es porque lo está desafiando; y si no interviene la madre, habrá pleito.

Lamentablemente para nuestro vecino mexicano, el evitar mirarle a los ojos al americano, lejos de ser una señal de respeto, es visto como indicación de una variedad de problemas. Para el americano, la persona que no le mira a los ojos, es porque:

— le falta autoestima;
— está escondiendo algo;
— te está mintiendo;
— está inseguro;
— te tiene miedo;
— es tramposo;
— no te quiere escuchar;
— te quiere engañar.

Pero la verdad es que nada de eso aplica en el caso del mexicano, quien evita mirar a los ojos porque así lo enseña su cultura de respeto.

¡Qué choque cultural! Como señal de respeto, el mexicano evita mirarle a los ojos al americano, cuya reacción es: "¿Por qué no me mira a los ojos este mexicano? ¿Qué esconde?"

'Look me in the eye'

How many times have we heard those words! "Look at me when I'm talking to you;" that's pure American!

Americans believe that if there is no eye contact, then there can't possibly be any communication going on. Looking a person in the eye shows honesty, capability, and confidence. The American who won't look you in the eye is probably hiding something.

This American peculiarity is rare, if we consider the rest of the world. It seems that only northern Europeans share this strange trait. In the rest of the world, eye contact with someone you don't know, or with people above you on the social scale, could signal a lack of respect. It would be particularly unacceptable to maintain eye contact for more than a fleeting moment with a member of the opposite sex.

Americans need to understand that, for the rest of the world, avoidance of eye contact is a sign of respect.

When Spaniards conquered the Americas, they taught the inhabitants a brutal lesson: that looking your "superiors" in the eye carried a severe penalty that could include even death.

The Mexican child of today who looks his father in the eye is asking for a fight; and unless Mom intervenes, he'll get one.

Unfortunately for the Mexican, avoidance of eye contact with his American neighbor, far from being seen as a sign of respect, will be seen as indicative of a whole range of possible problems. To the American, the person who doesn't look you in the eye is probably:

— low in self-esteem;
— hiding something;
— lying to you;
— insecure;
— afraid;
— sneaky;
— not listening;
— trying to cheat you.

But the truth is that none of this applies in the case of the Mexican, who avoids eye contact because that's what his culture of respect teaches him.

Es importante para el mexicano entender esta diferencia cultural, cuando vaya en busca de trabajo. Aunque esté perfectamente capacitado para el trabajo, el evitar mirarle a los ojos al patrón americano durante la entrevista le hace perder la oportunidad, porque el americano no va a querer contratar a un "mexicanito tramposo".

Hace unos años le expliqué este asunto del "contacto de ojos" a un grupo de maestras. Una de ellas exclamó que "¡Ahora sé por qué mis estudiantes mexicanos nunca me miran a los ojos!"

La maestra de tercer grado contó la historia de un niño mexicano que se escondió debajo de su escritorio cuando ella trató de seguirle mirando a los ojos, y que lloró cuando insistió en que le mirara a los ojos a ella cuando le hablaba.

Yo le expliqué a la maestra que eso fue un cruel castigo para ese pobre niño; que sería lo mismo insistirle: "¡Fáltame al respeto!" que "¡Mírame a los ojos!"

Para muchos maestros y padres de familia americanos, la persona que no le mire a los ojos es porque no le está escuchando, y puede señalar una falta al respeto. ¡Exactamente lo opuesto de lo que ocurre en México!

Uno de los ajustes más difíciles que hará el mexicano al venir a Estados Unidos es de tratar de mirar más a los ojos de la gente. De no hacerlo, tendrá que aguantar un sinfín de conflictos.

This is the classic cultural collision. As a sign of respect, the Mexican avoids eye contact with the American, whose reaction is, "Why won't this Mexican look me in the eye? What's he hiding?"

It's especially important for the Mexican to understand this cultural difference when he goes looking for work. Although he may be perfectly qualified for the job, the American employer won't want to hire a "sneaky Mexican" who avoided eye contact during the interview.

When I discussed the issue of eye contact with a group of teachers, one of them exclaimed, "Now I know why my Mexican students won't look me in the eye!"

The teacher recounted the story of one of her third grade students, a Mexican boy who cried when she insisted that he look her in the eye, and who slid under his desk when she knelt down to get face to face with him.

I explained that it must have seemed like a cruel punishment for that child, for whom "look me in the eye" is the same as saying, "disrespect me!"

For American teachers and parents, the person who won't look you in the eye is not listening, and is probably disrespecting you as well. Exactly the opposite of what occurs in Mexico!

One of the many adjustments Mexicans must make when they come to the United States is to try to maintain greater eye contact. Otherwise, they'll be in for a whole lot of conflict.

Echarse la culpa

Echarse la culpa es fácil para el americano. Por lo general, admite sus errores y pide disculpas con el famoso "I'm sorry," y asunto concluido.

Para su vecino mexicano, las cosas son diferentes. Ya hemos visto que al mexicano no le gusta el uso de "I'm sorry" para cualquier cosa. Mientras que sí le sale un "discúlpame" de vez en cuando, el verdadero "lo siento" pocas veces se escucha.

En otra ocasión analizamos este asunto. Concluimos que el fuerte sentido de honor personal del mexicano impide hasta cierto punto el echarse la culpa, pues es un reconocimiento de errores o de inferioridad. El mexicano prefiere dar explicaciones que pedir disculpas.

Del otro lado, el americano prefiere pedir disculpas que dar explicaciones. El resultado es un choque cultural entre los vecinos incómodos.

El americano considera que el poder admitir errores es una característica positiva. La persona que acepta la culpa por algún mal resultado y se dedica a mejorarlo, es visto con buenos ojos. El que culpa a otros por todos sus problemas es despreciado como un "chillón".

Hasta los mismos idiomas de los vecinos incómodos influyen en este asunto. "I lost it", dice el americano. "Se me perdió", dice el mexicano. Para el americano, la culpa es total y directa. Para el mexicano, la culpa es parcial e indirecta. "I missed the bus", dice el americano. "Se me fue el autobús", dice el mexicano.

Para el que habla inglés, no cabe duda sobre dónde recae la culpa. Pero para el que habla español, es casi un esfuerzo echarse de plano la culpa de algo.

Un amigo argentino tiene la manía de decir "me olvidé", en vez de "se me olvidó", como lo hacen los mexicanos. En una ocasión le pregunté si esto es algo típico de Argentina.

"No", dijo, "el 'se me olvidó' es típico de toda América Latina. Yo digo 'me olvidé' porque lo siento personalmente y me echo la culpa para no volver a hacerlo. Pero esto es algo personal mío".

Le pregunté si echarse la culpa es más fácil para argentinos que para mexicanos.

"Para nada", respondió. "Si pudiéramos echarnos la culpa de nuestros errores, tuviéramos grandes países. Pero así como estamos, le echamos la culpa a otros de todos nuestros males, y por eso no progresamos como países".

Taking blame

Accepting blame for something is pretty easy for the American, who usually admits his errors and apologizes with a quick "I'm sorry" to put an end to the issue.

For his Mexican neighbor, however, things are different. Mexicans don't care much for the free use of "I'm sorry" for just about everything. Although they'll occasionally offer apologies (*pedir disculpas*), you'll seldom hear the true "I'm sorry" (*lo siento*).

The Mexican's strong sense of personal honor gets in the way of taking blame. Since recognizing errors is getting close to recognizing inferiority, the Mexican prefers to give explanations rather than apologize.

The American, on the other hand, prefers to apologize rather than give explanations. The result: a cultural collision between the uncomfortable neighbors.

The American believes that admitting errors is a positive characteristic. The person who takes the blame for something and resolves to do better is received with approval; the one who blames others for all his problems is dismissed as a "whiner."

Even language plays a part in this issue. "I lost it," says the American. "Se me perdió," (literally, "it lost itself to me") says the Mexican. For the American, the blame is total and direct. For the Mexican, the blame is partial and indirect. "I missed the bus," says the American. "Se me fue el autobús," ("the bus left me"), says the Mexican.

For the English speaker, there is no doubt where the blame lies. But for the Spanish speaker, it's an effort to truly blame oneself.

An Argentine friend has the habit of saying, "me olvidé" ("I myself forgot") instead of "se me olvidó," ("it forgot itself to me"), which is the common term in Mexico. I asked him if this is typical of Argentina.

"No," he replied, "the 'se me olvidó' is common in all of Latin America. I say 'me olvidé' because I feel it personally and I take the blame so I don't do it again; it's just a personal thing."

I asked him if taking blame is easier for Argentines than it is for Mexicans.

"Not at all," he said. "If we knew how to take blame for our errors, we would have great countries. But as things are, we blame everybody else for all our problems, and that's why our countries make no progress."

He who accepts blame for his mistakes knows how to take personal

El que sabe echarse la culpa por sus errores, sabe aceptar la responsabilidad personal de sus problemas, y hará lo necesario para resolverlos, agregó.

Entre los países, así como entre los individuos, hay que saber aceptar la culpa.

El mexicano evita aceptar la culpa por sus errores, a veces porque su mismo idioma no lo permite, y a veces porque su cultura le ha enseñado que culpar es igual que menospreciar. Cuando llega a Estados Unidos, es capaz de concluir que sus vecinos americanos son personas débiles, sin honor ni respeto, por lo fácil que se echan la culpa y piden disculpas para todo.

responsibility for his problems, and will know how to resolve them, he concluded.

Among countries, as among individuals, it's important to be able to accept blame.

The Mexican will avoid accepting blame for his errors, sometimes because his language won't permit it, and sometimes because his culture teaches him that blame is the same as scorn. When he comes to the United States, he might conclude that his American neighbors are weak people, without honor or respect, for the ease with which they accept blame and seem to apologize for everything.

El apretón de manos

Para los europeos y sus descendientes americanos, la fuerza con la cual la persona aprieta la mano al saludar es importante. Para los americanos, un fuerte apretón de manos indica (supuestamente) que la persona es honesta y tiene confianza en sí misma. Por el otro lado, se considera que la persona que no aprieta fuerte, ha de ser una persona tímida, con falta de autoconfianza, y hasta puede ser una persona deshonesta, con algo que esconder.

Para los mexicanos, así como en la gran mayoría de los países del mundo, el dar la mano se hace sin apretones, sin fuerza. El origen del gesto entre nuestros antepasados fue mostrar que no se portaba armas; que se venía en paz, con las manos vacías. La buena costumbre indica que un sencillo toque de manos es suficiente; el apretarle con fuerza sería demasiado agresivo.

Cuando se dan la mano, los mexicanos están perfectamente acordes con los asiáticos, africanos e indígenas; pero, ¿qué pasa cuando el mexicano saluda a su vecino americano con un apretón de manos?

"A mí no me gusta darle la mano a un mexicano", declaró un amigo americano, "pues me dan una mano que parece un pez muerto".

Otro amigo preguntó: "¿Por qué dan la mano tan débil los mexicanos? ¿Nos tienen miedo, o qué?"

En varias ocasiones he explicado a grupos de americanos sobre la diferencia en el apretón de manos. A muchos americanos les sorprende saber que ellos son casi únicos en el mundo, en cuanto al fuerte apretón se refiere. Cuando el mexicano le da la "mano de pescado" (*fishy handshake*), es porque su cultura de respeto le enseña que un ligero toque de manos es indicado.

Hay que explicarles a nuestros amigos americanos que el ligero toque de manos no tiene nada que ver con el estado mental ni la personalidad del mexicano; sólo es una indicación de respeto.

Por el otro lado, hay que explicarles a nuestros amigos mexicanos que el americano espera que se apriete con fuerza cuando se da la mano; y que, para él, esto indica que la persona tiene autoconfianza, es fuerte, honesto, etc.

Esto es importantísimo que el mexicano lo sepa cuando vaya en busca de un empleo; pues puede perderse la oportunidad del empleo sin decir nada; simplemente con darle una mano débil al patrón.

The handshake

For Europeans and their American descendents, the force applied during the handshake is important. To Americans, the firm handshake is an indicator of honesty and self-confidence, while the person who gives a weak handshake must be timid, insecure, and maybe even dishonest, with something to hide.

For Mexicans, as well as most of the rest of the world, the handshake is done without squeezing the hand very hard. In keeping with the original purpose of the gesture, to show peaceful intentions by means of an empty hand, Mexican custom dictates a simple touch of the hands. A forceful grip or a squeeze would be an aggressive gesture.

When shaking hands, the Mexican is in perfect accord with Africans, Asians, and Native Americans. But what happens when he shakes hands with an American?

"I don't like to shake hands with a Mexican," said an American friend. "I get a hand that feels like a dead fish."

Another friend asked, "Why do they have such wimpy handshakes? Are they afraid of us?"

Americans are surprised to hear that they are almost unique in the world, when it comes to the firm handshake. We must explain to our American friends that the weaker, "fishy" handshake has nothing to do with the mental state or the personality of the Mexican. It is simply a manifestation of respect.

When the Mexican gives a "wimpy" handshake, that's because his culture of respect has taught him that a light touch of the hands is sufficient, and anything more would be too aggressive.

We also must explain to our Mexican friends that Americans expect a firm handshake, which to them indicates self-confidence, honesty, etc.

This is important for the Mexican to know when he goes looking for employment. He could lose a good job opportunity without saying a word, simply by greeting the employer with a weak handshake.

How about Chicanos? My personal observation is that Chicanos give much firmer handshakes, and in this respect are more like the American than the Mexican.

Since I move between the two cultures, I'm often asked how I handle the handshake problem. Here's what I do:

Tengo varios amigos chicanos que dan la mano fuerte, como los americanos. Creo que éste es otro aspecto en que los chicanos son más como los americanos que los mexicanos.

La gente me pregunta cómo le hago yo para dar la mano, puesto que vivo entre las dos culturas. Ésta es mi respuesta:

- Ofrezco la mano si es un hombre, americano o mexicano, y si es una mujer americana.

- Si es una mujer mexicana, no ofrezco la mano. La saludo con palabras, pero sí doy la mano si ella inicia la acción.

- Con los chicanos, americanos y americanas, aprieto más fuerte; con los mexicanos, menos fuerte. En todos casos trato de responder con la misma fuerza que siento que se me está apretando. Con las mexicanas, casi siempre un ligero toque de manos es indicado.

Hay quienes dicen que todo esto es llevar al extremo ridículo una cosa de poca importancia. ¿Qué importa si apretamos las manos con más o menos fuerza?

Pero lo que pasa es que los seres humanos somos muy exigentes; buscamos esas pequeñas cosas para resaltar las diferencias y dividirnos en grupos. De estas pequeñas cosas nace la discriminación.

- I never offer a hand when meeting a Mexican woman. I greet her with friendly words, and respond in kind if she offers her hand.

- I offer a hand to all men and American women.

- With Chicanos and Americans (both men and women) the grip is stronger; with Mexicans, it's weaker. In all cases I try to adjust to meet the strength of grip I feel from the other person. With Mexican women, a light touch of hands is almost always indicated.

Some people say that all this is taking an insignificant issue to a ridiculous extreme. Who cares if your handshake is more or less firm?

The problem is that we human beings are very demanding. We look for those little things that are different between us, that divide us into groups. When people focus on their differences, that's when discrimination is born.

El desaire

Para el americano, aceptar o rechazar algo ofrecido es una decisión de poca importancia. Si se rechaza algo, se acostumbra dar una pequeña explicación y *ya*. Entre amigos, la explicación suele ser la mera verdad, sin rodeos. "Gracias, pero no quiero comer ese mole que hiciste porque no me gusta el color que tiene."

Por supuesto, cuando se trata de una situación más formal, la explicación puede ser solamente una excusa, verdadera o no. "Gracias, pero no quiero comer ese mole que hiciste porque mi doctor me ha dicho que esa clase de comida me hace daño."

Cuando algo es rechazado, el americano no tiene por qué sentirse mal. El ofrecer algo, un cigarro, un trago, un taquito, etc., no conlleva nada en el fondo; no tiene nada que ver con las relaciones personales entre la gente. Muchas veces los americanos rechazan algo ofrecido sin siquiera dar explicaciones.

Esto entre los mexicanos sería un escándalo; o peor, un desaire.

Para el mexicano, el acto de ofrecer y aceptar o rechazar algo es más complicado. Se trata de un juego, por no decir una *guerra*, entre personalidades. El mexicano que ofrece, ha expuesto su vulnerabilidad; le ha concedido el poder a la persona que decide aceptar o rechazar.

Rechazar algo entre mexicanos es una delicada operación. Son pocas las excusas válidas. "Estoy jurado"; "Me hace daño". Pocos mexicanos cuestionarían una promesa a la Virgen o una condición médica. Pero más allá, rechazar es desairar. "¿No aceptas otra cerveza, compadre? ¡No me vayas a desairar!"

El mexicano que quiera rechazar algo lo debe hacer con cuidado. Se pone en campaña y desarrolla una estrategia para rechazar sin ofender. "Sí acepto esta cerveza, compadre; pero voy a tener que pararle pronto, porque tengo que levantarme temprano".

A veces el intercambio silencioso entre mexicanos es bastante complicado. El que ofrece puede estar probando: "Le voy a ofrecer una cerveza a este cuate. Si acepta, es porque lo tengo controlado; si no acepta, va a haber pleito".

Entre amigos mexicanos es más fácil no aceptar algo (aunque todavía más difícil que entre americanos); pero entre miembros de diferentes clases sociales, rechazar algo ofrecido puede ser una grave ofensa personal. Detrás de todo está el fantasma de la inferioridad, lo que hemos analizado

Turn-downs and put-downs

For Americans, accepting something offered or turning it down is not a particularly important transaction. If he turns something down, he might give a quick reason or explanation, and that's the end of it. Among friends, the explanation is usually the simple truth, with no beating around the bush. "Thanks, but I don't want any salad because I really don't like that dressing you made."

When the situation is more formal, a little more explanation is required, truth or not. "Thank you, but I'd rather not eat any salad today because I have a slightly upset stomach."

When something offered is turned down, the American has no reason to feel bad about it. The offer of a cigar, a drink, a cookie, or whatever, usually has no hidden meaning and has no significance regarding personal relations. Americans will often turn down something offered without any explanation at all.

This, among Mexicans, would be an insult; a snub; a rebuff; a slight.

Among Mexicans, the acts of offering, and accepting or rejecting that offer, constitute a complicated dance of personalities that becomes a contest, and at times outright war.

The Mexican who offers something has exposed his vulnerability, conceding power to the person who decides whether to accept or reject the offer.

Turning down an offer among Mexicans is a delicate operation. There are few valid excuses that justify a *turndown*, and not turn it into a *put-down*. "I promised not to eat meat (to a saint or the Virgen);" "My doctor says I shouldn't eat that kind of meat." Few Mexicans will question a medical explanation or a promise to the Virgen; but beyond that, a turn-down is a put-down. "Why won't you accept this beer I'm offering you? Are you snubbing me?"

The Mexican who turns something down, must do it carefully. He develops a strategy and maneuvers to not offend the person who has made the offer. "Thank you; I'll take this beer, but this is the last one, because I have to get up early tomorrow."

Sometimes the silent interplay between Mexicans is pretty complicated. The offer might be a test. "I'm going to offer a beer to this guy. If he accepts, then I have him under control. If he doesn't, there's going to be a fight."

en otra ocasión. El rechazo para el mexicano se convierte en un rechazo personal; un ataque contra su honor; una sugerencia, en mayor o menor grado, de inferioridad.

Asimismo, es peligroso para el americano no aceptar algo ofrecido por su vecino mexicano. "Este güero no acepta el pan dulce que le ofrezco porque se cree mejor que yo". Es probable que el americano no tenga la menor idea de haber ofendido a su vecino mexicano, simplemente por rechazar el pan dulce. Para él, no es gran cosa; pero para el mexicano, es un desaire que va a resentir.

Muchos americanos han experimentado el choque personal que resulta cuando no aceptan algo ofrecido por un amigo mexicano.

"Tengo un amigo mexicano que insiste mucho al ofrecerme una y otra cerveza", dijo un vecino americano. "Después de una o dos, ya no quiero tomar más; pero no sé cómo decirle que no, porque el hombre lo resiente demasiado".

Al americano le explicamos que no se puede rechazar algo ofrecido como lo haría entre su gente. Cuando de mexicanos se trata, hay que tomar en cuenta el delicado asunto del sentido de inferioridad y el honor personal, y desarrollar una estrategia para no ofender. Hay que dar explicaciones hasta que, finalmente, el "No" sea aceptado.

Among friends in Mexico it's easier to turn something down (although still harder than it is among Americans); but among members of different social classes, turning something down could be a serious personal offense.

Behind all of this is the spectre of inferiority, which we have discussed elsewhere. The Mexican may well see the turndown as a personal rejection; an attack against his honor; and a suggestion, however slight, of inferiority.

Given this situation, it may be dangerous for the American to turn down something offered by his Mexican neighbor. "This American won't accept these tacos because he thinks he's better than I am." The American probably doesn't have any idea that he's offended his Mexican friend, simply by turning down the tacos. For him, it's no big deal; but for the Mexican, it's a rebuff that is resented.

Many Americans have felt the discomfort and the awkward moment that results when they turn down something offered by a Mexican.

"I have a Mexican friend who really insists when he offers me a beer," said one American neighbor. "After one or two, I don't want any more, but I don't know how to tell him, because he gets all offended."

We explain that turning down something is not like it is among Americans. When Mexicans are involved, it becomes a delicate operation that takes relationships, inferiority, and personal honor into account, and requires developing a strategy to avoid offense. We keep giving explanations, calmly and respectfully, until, finally, the "no" is accepted.

Chapter 4
Capítulo 4

Getting Along
Llevándonos Bien

Rodney King's famous question, "Why can't we all just get along?" has a fairly simple answer: because we can't. Human beings are conflictive critters. Rare is the society without crime, and rare is the period in history without war. "Civilization is a race between education and disaster," said Einstein, and the issue is not yet decided.

The issue is also not yet decided between Mexicans and Americans. Are we headed toward greater conflict or greater understanding? Sometimes it's hard to tell. In Chapter 4 we see that both sides have a long way to go.

La famosa pregunta de Rodney King, "¿Por qué no podemos llevarnos bien?" tiene una sencilla respuesta: Porque no podemos. Los seres humanos somos criaturas conflictivas. Es rara la sociedad sin crimen, así como rara es la época histórica sin guerras. "La civilización es una carrera entre la educación y el desastre", dijo Einstein, y el resultado final todavía no está decidido.

Tampoco está decidio el conflicto entre americanos y mexicanos. ¿Estamos alcanzando una etapa de mayor entendimiento o de mayor conflicto? A veces es difícil saberlo. En el Capítulo 4 vemos que todavía falta mucho camino por recorrer.

¿Directo o indirecto?

Entre los americanos el saludo es un asunto de unos cuántos segundos: "Buenos días, ¿cómo está? Bien; mire, le llamo por lo siguiente..."

Entre los mexicanos el saludo es un asunto que puede durar varios minutos y hasta horas. "Buenos días, ¿cómo está? Y la familia, ¿cómo está? Me saluda a su señora. ¿Qué tal las lluvias?, etc..."

Los americanos comentan que a veces no saben a qué viene su vecino mexicano; a saludar nada más, a hacer alguna pregunta, a comunicar algo... muchas veces el americano no sabe cuál es "el punto" de la conversación, y se siente incómodo hasta descubrirlo.

Por el otro lado, los mexicanos comentan que no cabe ninguna duda sobre cuál es el punto de la conversación cuando le saluda un americano; pues casi ni saludan antes de lanzar "el punto".

La manera de saludar señala una importante diferencia en el estilo de comunicación entre los vecinos incómodos. El americano tiene un estilo "directo", mientras que su vecino mexicano tiene un estilo "indirecto" de comunicarse.

El estilo "directo", de llegar rápido al punto sin rodeos, es otra herencia del norte de Europa, y no es nada común en el resto del mundo.

Muchas sociedades del mundo utilizan el estilo "indirecto" de comunicación, donde se comunica mucha información que puede ir al grano del asunto o no, y donde se atiende al respeto personal entre las partes antes de discutir nada.

En el estilo directo, lo más importante es el punto a comunicarse; y el comunicarlo es deber del que habla. En el estilo indirecto, lo más importante son las personas que participan; y percibir el punto es la responsabilidad de los que escuchan.

Para el americano, no tiene nada de raro la pregunta *Do you understand?*, porque el que habla tiene la responsabilidad de comunicar el punto; y si la respuesta es que *no*, entonces hará mayor esfuerzo por comunicarse bien.

Pero para el mexicano *¿Me entiendes?* suena ligeramente chocante; pues esa frase le queda mejor a los niños o a los zonzos que tienen dificultades con el razonamiento.

Tengo un amigo chicano que tiene el lamentable hábito de preguntar *¿Me entiendes?* cada rato durante la conversación. Dice que aprendió ese hábito cuando vivía en California y había mucha gente negra en su

Direct or indirect?

Among Americans the greeting is a matter of a few seconds. "Good morning, how are you? Good, that's great; look, the reason I'm calling is..."

Among Mexicans the greeting is an affair that could last a few minutes, but it might even go on for hours. "Good morning, how are you? And the family? Say "hi" to the Mrs. for me. Is it cold over there? How about the rain today?" and so on.

The American says that sometimes he doesn't know what his Mexican neighbor wants. Did he just come over to say hello, ask for something, share a problem, or what? When the American doesn't know what the *point* of the conversation is, he becomes uncomfortable until he discovers it.

Mexicans, on the other hand, say that there's never any doubt about the point of the conversation when they are greeted by an American, who will almost immediately get to the point.

Their different ways of greeting people point out the difference in communication styles between the uncomfortable neighbors. The American has a "direct" style, while the Mexican has an "indirect" communication style.

The American's direct style, of getting to the point quickly with no "beating around the bush," is an inheritance from northern Europe; and it turns out that it's not very common in the rest of the world.

Many societies around the world are indirect communicators, where lots of information, relevant and not, gets shared, and where due respect must be shown to each participant before getting down to business.

In the direct style, the most important thing is the point to be communicated; and the speaker is responsible for getting that done efficiently. In the indirect style, the most important thing is preserving respect among the participants; and the listeners are responsible for getting the point.

For the American, it's no problem being asked *do you understand?* because the speaker is responsible for communicating the point; and if the answer is *no*, then he will make a greater effort to communicate.

But for the Mexican, *do you understand?* sounds slightly offensive; since this question is for children or the feebleminded who have problems reasoning.

comunidad, que siempre decían *You understand what I'm saying?*

Entre los chicanos, criados en Estados Unidos, el estilo de comunicación es más directo que el de sus padres y parientes mexicanos. Muchas veces los chicanos, así como los americanos, se desesperan cuando hablan con los mexicanos, a quienes acusan de hablar con rodeos (*beat around the bush*) y nunca llegar al grano (*get to the point*).

Sin embargo, los americanos y chicanos ignoran que ellos son la gran minoría en el mundo, en cuanto a estilo de comunicación se refiere. El estilo mexicano está perfectamente de acuerdo con los estilos asiáticos, árabes, indígenas y latinoamericanos.

El mexicano le pide a su vecino americano, así como a su prole chicana, que tengan paciencia; que dejen de preguntar *¿me entiendes?;* que saluden primero; que atiendan a lo personal también; y que sean un poco menos abruptos en sus comunicaciones.

Por el otro lado, el americano le pide a su vecino mexicano que no se sienta ofendido cuando le da un saludo muy abreviado para llegar de repente al grano del asunto; pues así le enseñó su cultura.

¿Directo o indirecto? Es importante tomar en cuenta el estilo de comunicación, que muchas veces dificulta el entendimiento entre los vecinos incómodos.

I have a Chicano friend who has the unfortunate habit of asking *do you understand?* at several points during his conversation. He says he picked up this habit when he lived in an African American section of Los Angeles, where it's common to hear *you understand what I'm saying?*

Among Chicanos, raised in the United States, the communication style is more direct than that of their Mexican parents and relatives. Chicanos, like Anglo Americans, get frustrated speaking with Mexicans, whom they accuse of beating around the bush and never getting to the point.

However, Anglo Americans and Chicanos ignore that they are by far the minority in the world, when it comes to communication style. The Mexican style is perfectly in tune with Arabic, Asian, and American Indian cultures.

The Mexican asks his American neighbor, as well as his Chicano off-spring, to have patience; to stop asking *do you understand*; to say hello first, giving each listener his due respect; and to be a little less abrupt in his communications.

The American, on the other hand, asks his Mexican neighbor to not be offended when he gives a very brief greeting to get right to the point, since his culture has taught him to do this.

Direct or indirect? The difference in communication style is often a hidden obstacle to understanding between the uncomfortable neighbors.

¿Abierto o cerrado?

El americano proclama que es una persona "abierta", o sea, que está dispuesto a escuchar otras ideas. *"I'm open!"* es una expresión común. Dentro de la cultura americana, es considerado muy positivo ser "abierto" en vez de "cerrado". Tener la "mente abierta", *open-minded*, en inglés, es visto como algo muy positivo, mientras que lo opuesto, ser *close-minded*, es visto con malos ojos.

El americano declara abiertamente sus gustos y pesares, a veces para la incomodidad de su vecino mexicano. Es capaz de declarar *"I love that car!"*, o *"I hate onions"*, cosas que nunca diría el mexicano, pues "amar" y "odiar" son términos fuertes reservados para personas, y no aplican ni a carros ni a cebollas.

Pero el americano, en su forma abierta, puede "amar" u "odiar" casi cualquier cosa.

"Saludos, ¿cómo está?", le dice el mexicano a un americano a quien no conoce. El americano responde: "Pues bien, nomás que me abandonó mi esposa porque no le gustaba el olor de mis pies, y mi hijo menor está tomando drogas", etc. etc.

Muchos americanos comparten abiertamente sus penas e inquietudes, para el asombro de sus vecinos mexicanos, para quienes esa clase de comunicación es reservada para buenos amigos y familiares.

"Saludos, ¿cómo está?", le dice el americano a un mexicano a quien no conoce. "Bien", le responde el mexicano, aunque esté sufriendo horriblemente; aunque le haya abandonado la esposa; aunque el hijo esté tomando drogas; "Bien".

El mexicano es menos propenso a expresar sus sentimientos. Si el americano es una persona "abierta", entonces el mexicano, en comparación, es una persona "cerrada".

> El mexicano es un ser que cuando se expresa se oculta; sus palabras y gestos son casi siempre máscaras... que hacen de cada uno de nosotros un ser cerrado e inaccesible.
> — Octavio Paz, *El laberinto de la soledad*

Para el mexicano es muy difícil hablar de asuntos personales con personas que no conoce. Por eso los médicos americanos se quejan que sus pacientes mexicanos "no cooperan" con ellos. Los trabajadores sociales se quejan porque es difícil obtener información sobre ingresos u otros

Open or closed?

The American claims that he's an "open" person; that is, that he's willing to listen to other ideas. "I'm open!" is a common expression. In American culture, being *open*, as opposed to being *closed*, is considered a very positive thing. Being *open-minded* is highly positive, while being *close-minded* is unfortunate, indeed.

The American openly states his likes and dislikes, sometimes to the discomfort of his Mexican neighbor. He is likely to declare "I love that car!" or "I hate onions!" which are statements a Mexican would never make, since "love" (*amar*) and "hate" (*odiar*) are strong terms reserved for people, and could never apply to cars or onions.

But the American openly goes around loving and hating all kinds of things.

"Hello; how are you?" says the Mexican to an American he doesn't know very well.

"Oh I'm better now," answers the American. "My wife left me because she doesn't like the smell of my feet, my son is taking drugs, etc., etc."

Lots of Americans openly share their problems and complaints, to the surprise of their Mexican neighbors, for whom this kind of talk is reserved for close friends and family.

"Hello; how are you?" says the American to a Mexican he doesn't know very well.

"Fine," answers the Mexican, although he may be suffering terribly; although his wife may have left him, or his son may be taking drugs, "fine."

The Mexican is less willing to express his feelings openly. If the American is *open*, then the Mexican, by comparison, is *closed*.

> The Mexican is a being who, when he expresses himself, he hides; his words and gestures are almost always masks... that make of each one of us a closed and inaccessible being.
> — Octavio Paz, *The Labyrinth of Solitude*

For the Mexican, it is difficult to discuss personal matters with strangers. American doctors complain that their Mexican patients "don't cooperate." Social workers complain that it's difficult to get income and other personal information out of Mexican families. In fact, Americans in general often say it's hard to get cooperation from their Mexican neighbors.

But it's not really a lack of *cooperation* they are seeing; it's a lack of

datos personales de familias mexicanas. Es más: No sólo el personal de servicios, sino los americanos en general dicen que es difícil lograr la cooperación de sus vecinos mexicanos.

Pero no se trata de cooperación; se trata de expresión. Al ocultar sus sentimientos, el mexicano da la impresión de no querer cooperar.

Muchos americanos califican a sus vecinos mexicanos de "calmados", "tímidos", "reservados", "quietos", aunque en verdad no sean así. Es que vienen de una cultura donde las máscaras y los espejos son símbolos importantes, y les encanta mantener sus secretos.

Por el otro lado, se diría que "algo va mal" con el americano que mantenga muchos secretos, aunque sean personales. El concepto popular americano es que para mantener su salud mental, la persona debe "compartir sus secretos".

Se dice que los consejeros de salud mental se mueren de hambre en México. En contraste, vea usted cuántos consejeros y programas de salud mental se encuentran por todos lados en Estados Unidos.

En una ocasión, una amiga mexicana me contó que su supervisor en el trabajo estaba enojado con ella. Le pregunté por qué.

"Porque tuve una cita con el doctor al mismo tiempo que el supervisor quería que estuviera en una conferencia", dijo. "Para mí fue más importante ir al doctor, y por eso no fui a la conferencia".

Le pregunté qué dijo el supervisor cuando esto le fue explicado.

"¿Qué¿" respondió. "Yo no le voy a explicar nada sobre mis asuntos personales. Mis problemas personales no son para nadie saber". ¡Una respuesta netamente mexicana!

En otra ocasión, el supervisor americano de una de las grandes tiendas de departamentos me preguntó cómo mejorar sus relaciones con los empleados mexicanos.

Le pregunté si tenía problemas con ellos.

"No", respondió, "pero nunca me dicen nada. Los empleados americanos siempre me están contando sobre sus vidas, y me cuentan igual de sus triunfos y sus problemas. Pero los mexicanos no; sólo dicen que todo está bien; y hablamos del trabajo, pero nunca dicen nada de sus problemas personales como lo hacen los empleados americanos".

Para el supervisor, parecía que los empleados mexicanos no le tenían confianza; y pensaba que les estaba fallando en algo. Pero yo le expliqué que el carácter mexicano es más cerrado que el americano; y que no se trataba de alguna falta de su parte, ni de ellos. Se trata de otra diferencia cultural entre los vecinos incómodos.

expression. Americans often describe their Mexican neighbors as "calm," "timid," "reserved," and "quiet," although in reality they may be none of these. They come from a culture where the mask and the mirror are important symbols, and they love to keep their secrets.

On the other side of the river, we'd say that something's wrong with the American who keeps too many secrets, even personal ones. The popular concept among Americans is that, in order to preserve your mental health, you must share your secrets.

It is said that mental health counselors die of starvation in Mexico. In contrast, American mental health counselors and programs are everywhere.

On one occasion a Mexican friend told me her American supervisor was unhappy with her, because she had a doctor's appointment at the same time as an important meeting, and she chose to go to the doctor. I asked what the supervisor said when she explained that she had to go to the doctor.

"What?" she exclaimed, "I'm not going to explain anything about my personal life; that's my business, not for anybody else." A perfectly Mexican response!

On another occasion, the American supervisor of a major department store asked how to improve his relations with his Mexican employees. I asked if he was having problems with them.

"No," he answered, "but they never tell me anything. Our American employees are always telling me about their lives and their problems, but not the Mexicans. They just say they're fine. They'll talk about work, but they never talk about themselves like the American employees do."

To the supervisor, it seemed that his Mexican employees didn't trust him; that perhaps he was failing them in some way. But I explained to him that Mexicans are more *closed* than Americans are; and that it's not about failure, either his or theirs. It's about another cultural difference between the uncomfortable neighbors.

¿Superior o inferior?

Se ha comentado mucho sobre el supuesto "sentido de inferioridad" que tiene el mexicano, en particular cuando se encuentra enfrentado a su vecino americano.

El americano cree que es un ser superior; que proviene del mejor país del mundo; y que todo lo puede. Muchos americanos creen que su país tiene el deber de ayudar al resto del mundo; y de hecho, regalan miles de millones de dólares al año a otros países.

Por el otro lado, los mexicanos tienen una historia de conflicto con sus vecinos del norte. Perdieron más de la mitad de su país, y continúan sufriendo pérdidas como resultado de intercambios desiguales con los americanos. La nación moderna mexicana nació con la traición de la Malinche y se fijaron sus fronteras con la vergüenza de Santa Ana.

Según los mismos mexicanos, aunque se expresen con machismo y orgullo, por dentro se sienten avergonzados e inferiores. El debate nacional sobre este punto comenzó con el filósofo Samuel Ramos, quien publicó en 1934 *El perfil del hombre y la cultura en México*, donde sostuvo que "La sicología del mexicano es resultado de las reacciones para ocultar un sentimiento de inferioridad".

Con esta obra, Ramos encendió una discusión nacional que continúa hoy en día. Ramos fue respaldado por el Premio Nóbel de Literatura Octavio Paz, en su obra fundamental *El laberinto de la soledad* (1950), cuando sostuvo: "Este libro (de Ramos) continúa siendo el único punto de partida que tenemos para conocernos. No sólo la mayor parte de sus observaciones son todavía válidas, sino que la idea central que lo inspira sigue siendo verdadera..."

Para muchos americanos es difícil comprender que toda una nación de gente pueda sientirse inferior. Aunque se jactan de ser "los mejores", los americanos también tienen la filosofía fundamental de que "todos los seres humanos fueron creados iguales".

Por eso fue difícil para mí aceptar la respuesta que me dio un grupo de profesores, artistas e intelectuales con quienes me reuní hace unos años en Zacatecas. Les hice la pregunta, "¿Es verdad que el mexicano se siente inferior al americano?" Respondieron todos que sí; que era un aspecto de la sicología mexicana; aun para mexicanos como ellos, todos con bastante preparación y estudio.

A nivel popular, uno de los factores que influye en esto es el cine.

Superior or inferior?

There has been much discussion about the supposed "inferiority complex" of the Mexican, especially when it comes to his American neighbor.

The American believes that he is a superior being; that he comes from the best country in the world; and that he can do anything. Many Americans believe that their country has a duty to help the rest of the world; indeed, billions of dollars every year are simply given to other countries.

Mexicans, on the other hand, have a history of conflict with their neighbor to the north. They lost half their country to the *americanos*, and they still lose today in unequal economic exchanges. Modern Mexico was born with the treason of Malinche and its borders were fixed by the shame of Santa Ana.

Treason and shame. According to Mexicans themselves, although they may express themselves with pride and *machismo*, inside they feel ashamed and inferior. The national debate over this issue began with the philosopher Samuel Ramos, who in 1934 published *The Profile of Man and Culture in Mexico*, where he maintained that "The psychology of the Mexican is the result of his actions to hide a feeling of inferiority."

With this work, Ramos began a national debate that continues today. Ramos got strong support from Octavio Paz, a Nobel Prize winner in Literature, who in his fundamental work, *The Labyrinth of Solitude* (1950), said: "This book (of Ramos) continues to be the only point of departure we have to know ourselves. Not only are the major portions of his observations still valid, but the central idea that inspired it continues to be true…"

For Americans it is difficult to understand how an entire nation of people could feel inferior. Although they boast of being the "best," Americans also have the fundamental philosophy that "all men are created equal."

That's why it was difficult for me to accept the answer I got from a group of professors, artists, and intellectuals, with whom I met a few years ago in Zacatecas, Mexico. I asked, "is it true that Mexicans feel inferior to Americans?" They responded matter-of-factly that yes, it is true. "Even for you?" I asked. Yes, they replied, even for them, a group of intelligent, educated, and successful Mexicans.

At the grass roots level, one of the main factors is the movies. Just see how Americans and Mexicans are depicted by Hollywood. Americans are strong, valiant winners; Mexicans are humble, cowardly losers.

Mire usted los aspectos del americano y el mexicano en Hollywood. El americano, invencible, ganador, valiente; mientras que los mexicanos son proyectados como humildes, cobardes, y perdedores.

El mismo cine mexicano proyecta al americano como superior al mexicano, que cuando gana, muchas veces es porque sabe engañar mejor que su vecino del norte.

El público mexicano, cuando va al cine y ve las imágenes del poderoso americano y el humilde mexicano, sale con un sentido de inferioridad reforzado.

Ahora bien; ¿qué pasa cuando un mexicano tiene un desacuerdo con su vecino americano? Ya comenzando con un sentido de inferioridad, el mexicano muchas veces reacciona demasiado fuerte; muchas veces se emociona más de lo que debe, y el simple desacuerdo pasa a ser un conflicto mayor.

El americano ve al mexicano como "*touchy*" (delicado, que no se le puede decir nada). El mexicano ve al americano como "elitista" (que se cree mejor que uno). El resultado: Se arma un conflicto que no tiene nada que ver con el asunto original.

Hemos visto varios comentarios sobre el famoso "machismo" mexicano. Muchos dicen que el machismo es una reacción al sentido de inferioridad, una compensación emocional que va más allá de lo que merece la situación. Cuando ve esto, el americano concluye que el mexicano tiene un "*chip on the shoulder*" (un estado emocional defensivo que produce una fuerte reacción ante cualquier crítica), lo que impide la comunicación.

El americano que quiera comunicarse efectivamente con su vecino mexicano debe estar atento a este importante aspecto de la sicología mexicana, y hacerle saber a su amigo mexicano que su relación no se trata de superior ni de inferior, sino de respeto mutuo entre iguales.

Even Mexican movies portray the American as superior to the Mexican. When the Mexican hero does win, many times it's because he's more tricky than his American neighbor.

Mexicans go to the movies and see images of the powerful American and the humble Mexican, and they come out with a reinforced feeling of inferiority.

So what happens when a Mexican has a disagreement with his American neighbor? Already starting out with a feeling of inferiority, the Mexican many times will overreact. He'll get more emotional than the situation calls for, and the conflict will escalate.

The American sees the Mexican as "touchy," while the Mexican sees the American as "elitist," thinking he's better than everyone else. The result is often a major conflict that has nothing to do with the original issue.

We've seen lots of comment on the famous Mexican *machismo*. Many say that *machismo* is a reaction to the Mexican feeling of inferiority, an emotional overcompensation that goes beyond anything the situation calls for. When he sees this, the American concludes that the Mexican has a "chip on the shoulder," and is too defensive for good communication to happen.

The American who wishes to communicate effectively with his Mexican neighbor should be aware of this important aspect of Mexican psychology, and let his friend know that their relationship is not about superior or inferior status, but rather mutual respect between equals.

¿Alto o bajo volumen?

Una de las quejas más comunes del mexicano es que su vecino americano siempre le está "gritando"; que eleva demasiado su voz; y que parece estar enojado casi todo el tiempo.

Hemos escuchado un sinnúmero de denuncias sobre los "malos tratos" recibidos por mexicanos en tiendas y agencias, por empleados americanos que "discriminan" contra ellos. No negamos que existe la discriminación; sin embargo, en muchos casos, se trata de un sencillo choque cultural entre los vecinos incómodos.

Sucede que el americano opera a un volumen más alto que el mexicano. Para el americano no es nada "gritarle" a su compañero para que lo vea o que lo escuche. Además, el compañero no se siente ofendido, a menos que sea de plano un gritazo a toda voz. De hecho, lo que el americano percibe como "un llamado de atención", su vecino mexicano habrá de percibir como un "grito".

"¿Por qué me está gritando esta güera?", se pregunta el cliente mexicano ante la secretaria americana, "¿Qué le hice? ¿Por qué está enojada conmigo?"

Este conflicto se da porque el mexicano percibe *enojo* cuando sube el volumen de la voz. En su cultura es una falta de respeto hablar a todo volumen; y el que lo haga muchas veces está expresando su ira sobre algo o alguien.

Cuando el mexicano escucha algo en voz demasiado (para él) alta, por lo general va a creer que se trata de una persona enojada.

Ahora bien; ¿qué pasa cuando el mexicano viene a Estados Unidos, donde todo el mundo funciona a un volumen más alto que él?

Ha de pensar que el americano no sabe respetar y que conduce todos sus asuntos a gritos.

Pero lo más importante es que va a pensar que los americanos son personas *iracundas*; que se enojan con él por cualquier cosa; pues el alto volumen para él significa enojo. Cree que a lo mejor lo están discriminando, y esto produce una fuerte reacción de su parte, y se arma el lío.

Por su lado, la secretaria americana no entiende por qué el cliente mexicano parece estar resentido contra ella. Su sorpresa es verdadera cuando la acusan de discriminación. No tiene la menor idea de que el volumen de su voz, cosa tan sencilla, fue la causa del conflicto.

Los maestros de escuela comentan que los niños más quietos son por

Outspoken or softspoken?

One of the most common complaints of the Mexican is that his American neighbor is "always yelling," talks too loud, and seems to be angry most of the time.

We see an endless stream of complaints about poor treatment of Mexican customers and clients by store clerks and service agency receptionists, American employees supposedly discriminating against them. While we don't deny that discrimination exists, in many cases what we have is a simple cultural collision between the uncomfortable neighbors.

It turns out that the American operates at a higher volume than the Mexican. It doesn't bother an American to yell or be yelled at by a friend who's trying to get his attention, unless the "yell" graduates to the category of a "scream." In fact, what the American would hear as a call for attention, the Mexican would hear as a "yell."

"Why is this white lady yelling at me?" asks the Mexican client about the American secretary. "What did I do to her? Why is she mad at me?"

This conflict arises because the Mexican perceives *anger* when the volume is raised. In his culture, it's disrespectful to speak in a loud voice, and the person who does is usually angry about something.

Consequently, when the Mexican hears a (to him) loud voice, he's probably going to think that the person is angry.

So what happens when he comes to the United States, where everybody functions at a higher volume?

He's probably going to think that Americans are disrespectful people who go around yelling at everybody.

But more importantly, he'll also think that Americans are generally irascible; that they'll get mad at him for no reason, as indicated by their loud voices. He's likely to conclude that he's being discriminated against, and then we have a problem.

The American secretary probably has no idea why the Mexican client seems resentful toward her. Her surprise is genuine when she's accused of discrimination. She is not aware that the volume of her voice –such a simple thing- was the cause of the conflict.

Classroom teachers say that the quietest children are usually the ones most recently arrived from Mexico. Accustomed to functioning at a lower volume, Mexican kids are stunned by the "yelling" going on in the American classroom. They are dumbfounded when the teacher speaks in a

lo general los recién llegados de México. Acostumbrados a un ambiente donde se funciona con menos volumen, los pequeños se espantan ante el "griterío" del salón de clase estadounidense, y más aún cuando la maestra les habla en una voz, para ella normal, pero para los mexicanitos, a un volumen que significa la histeria.

Los niños mexicanos recién llegados pasan el primer mes atolondrados, dentro de un ambiente donde todo el mundo parece estar enojado.

Una vez me pidió un amigo mexicano ir a cierta tienda, donde dijo que la cajera discriminaba en contra de los mexicanos. Fui para observarla un rato, y antes de verla ya se escuchaba. Se trataba de una mujer que hablaba a un volumen muy alto en comparación con el mexicano promedio. A todos, de cualquier raza, les hablaba "a gritos".

Aunque para los americanos esto no era para molestarse, para los clientes mexicanos, se trataba de una persona que se "enojaba" con ellos.

El primer consejo que se le da al americano para tratar con mexicanos, es el de "bajar el volumen". Se le advierte que nuestros vecinos mexicanos relacionan el alto volumen de la voz con el enojo; y que pueden evitar posibles choques simplemente bajando el volumen de la voz.

volume that, back home, would indicate hysteria. They spend the first month or so in a state of shock, thinking that everyone around them is angry.

A Mexican friend once asked me to drop by a certain store, where the cashier, he said, discriminated against Mexicans. As soon as I walked into the store, I could hear the problem. The lady's normal operating volume was high, even for Americans.

Although it was noticed, it was not a particular problem for American customers. But for Mexicans, here was a person angry with them, and for what? It must be discrimination!

The first bit of advice we give Americans when dealing with Mexicans is, "turn down the volume!" We point out that to our Mexican neighbors, a loud voice means an angry person, and that we can do much to improve communications by simply lowering the volume.

Fine, Thanks.
Is He angry?

¿Hora americana u hora mexicana?

El americano anglosajón es un producto de Europa, donde por lo general la gente es puntual. Por supuesto hay muchas excepciones; pero por lo general el americano también es puntual; valora mucho la puntualidad, y ve con malos ojos a la persona que siempre llega tarde.

"El tiempo es dinero", dice el refrán americano; "no hay que malgastarlo".

El americano menosprecia cualquier cosa que sea "una pérdida de tiempo"; y aprecia mucho los aparatos que sean "ahorradores de tiempo". El paso de su vivir es rápido, en comparación con el de su vecino mexicano.

El enfoque del americano es siempre hacia el futuro. Su concepto tradicional es de trabajar duro, sin "gastar" tiempo, ahorrar su dinero, y así llegar a tener una vida mejor en el futuro.

Sin embargo, el enfoque de su vecino mexicano es hacia el presente y el pasado.

> La percepción del tiempo es un concepto cultural. Los mexicanos tendemos a no ser puntuales, y no respetamos el tiempo de otras personas, en particular el de nuestros subordinados... La mayoría de los mexicanos preferimos vivir "día a día", y sentimos gran incertidumbre hacia el futuro. Estamos orientados hacia el pasado y el presente. Apreciamos el momento actual. En comparación a los Estados Unidos, México funciona a un paso más despacio, con menor atención al tiempo.
> —Federico Reyes Heroles, *Este País*, Agosto, 1993

Ahora bien; ¿qué pasa cuando el mexicano, con su concepto cultural del tiempo, llega a los Estados Unidos, donde impera otro concepto?

Lo que pasa es que produce conflictos entre los vecinos incómodos. El americano, de prisa, preocupado por llegar a tiempo; su vecino mexicano, calmado, llegando tarde, pero llegando.

Tengo un amigo mexicano que siempre llega tarde para todo. Cuando se lo reclamo, "Lo importante es que llegué", me responde.

Pero para el americano lo importante es que llegó tarde, sin avisar, y

Mexican time, American time

The white American is a product of Europe, where people are generally punctual. Of course there are lots of exceptions; but in general Americans are also punctual. They place a high value on being on time, and are critical of the person who's always late.

"Time is money," says the American, "we must not waste it."

The American does not appreciate anything which would be a "waste of time," and highly approves of anything that's a "time-saver." In comparison to his Mexican neighbor, he enjoys a faster pace of life.

The American is focused on the future. His traditional concept is to work hard, without wasting time, save his money, and have a better life in the future.

The Mexican, however, is focused on the present and the past.

> The perception of time is a cultural concept. We Mexicans tend to not be punctual, and we do not respect the time of others, particularly subordinates... The majority of Mexicans prefer to live life day by day, and we feel a great uncertainty about the future. We are oriented toward the past and the present. We prize the moment. Compared to the United States, Mexico functions at a slower pace, with less attention to time.
> —Federico Reyes Heroles, *Este País*, August, 1993

What happens when the Mexican, with his different sense of time, moves to the Unites States? The Mexican, calm, deliberate, arriving late; the American, in a perpetual hurry, always on time or otherwise apologizing. What happens is that we have conflict.

I have a Mexican friend who's always late for everything. When I call him on it, he shrugs it off, saying, "the important thing is that I got here."

But for the American the important thing is that he got there late, without calling beforehand and without apologizing, which constitutes a lack of respect. The American respects the time of others, and expects others to respect his time. He goes crazy when he is made to wait, and he feels offended when his Mexican neighbor arrives late without apologizing.

But oftentimes the Mexican won't even be aware of the issue. For

eso consiste en una falta al respeto. El americano respeta el tiempo de otros; y espera que se le respete el tiempo de él. Se vuelve loco cuando lo hacen esperar. El mexicano que llegue tarde, sin disculparse (con el famoso "I'm sorry"), le está faltando al respeto a su vecino americano.

Muchas veces el mexicano no se da cuenta del asunto. Para el mexicano, el tiempo no es algo que se puede gastar ni ahorrar, y el llegar tarde a alguna cita ni siquiera merece un comentario, porque no tiene importancia. Hace unos años se comunicó conmigo un dentista, para pedirme un consejo. "Mis pacientes mexicanos casi todos llegan tarde", me explicó, "y ya no aguanto el caos que produce esto en mi consultorio. Yo les dije que la persona que llegue más de 10 minutos tarde, va a tener que esperar otra media hora, como castigo. ¿Qué le parece?"

Le expliqué al dentista que el esperar otra media hora sería un castigo para el americano; pero no para el mexicano. Le recomendé que les pidiera su ayuda con el asunto y les explicara a sus clientes mexicanos por qué es importante llegar a tiempo para la cita.

El conflicto en cuanto al tiempo se percibe mayormente en el mundo profesional, donde se maneja un gran número de citas y el negocio depende de la puntualidad de los clientes. Abogados, doctores y dentistas, por ejemplo, muchas veces cancelan la cita de la persona, de la raza que sea, que llegue más de 15 minutos tarde.

El dentista mencionado arriba, me dijo que a los pocos días abandonó su idea del castigo de 30 minutos, porque "los mexicanos esperaban con total calma y sin rencor, y también sin cambiar su comportamiento de llegar tarde".

Tengo un cuñado que llegó 90 minutos tarde para su propia boda. Aunque yo me sentí bastante preocupado por el hecho, lo que entre americanos hubiera sido una tremenda falta al respeto, parece que nadie más de los presentes, casi todos mexicanos y chicanos, lo tomó así. Esperaron con calma; llegó el novio sin disculpas para nadie, se casaron, y todo bien.

El americano observa que su vecino mexicano es más calmado y que va más despacio que él, además de no importarle tanto la hora del día. Concluye que el mexicano es flojo; que no sabe funcionar con eficiencia; y que no sabe mantener un horario.

Estas conclusiones son erróneas, por supuesto. Para comprobarlo, bastaría una visita al centro comercial de Monterrey, por ejemplo.

Sin embargo, los vecinos incómodos ven y tratan el asunto del tiempo de maneras muy distintas. Para que haya mejor entendimiento entre ellos, este tema debe ser uno de los primeros a discutir.

him, time is not something you can save or waste, and arriving late doesn't deserve even a comment, because it has no importance.

A few years ago a local dentist called to ask my advice about his Mexican patients who, he said, were always arriving late for appointments. Unable to tolerate the "chaos" this produced in his appointment schedule, the dentist implemented the policy that anyone arriving ten or more minutes late, would be required to wait an additional 30 minutes. What did I think?

I explained that a 30-minute wait might be a penalty for Americans, but not for Mexicans. I suggested he ask their help, and explain the consequences of arriving late.

The conflict about time is most common in the professional world, where the business depends on the orderly flow of appointments and the punctuality of the clients. Lawyers, doctors, and dentists, for example, may cancel an appointment if the person arrives over 15 minutes late.

The dentist mentioned above told me later that within a few days he abandoned his policy of making people wait an additional half-hour. "Our Mexican patients would just sit there, calmly and cheerfully, and without changing their habit of arriving late," he reported.

One of my brothers-in-law arrived 90 minutes late for his own wedding. Although I was worried about what, to Americans, would have been a serious lack of respect, it seems that nobody else thought so. The guests, mostly Mexicans and Chicanos, waited calmly for the groom, who finally arrived with no apologies for anyone. The ceremony proceeded, and all was well, with only me wondering why he was late.

The American sees that the Mexican is calmer and moves more slowly than he does, without caring much about what time it is. This leads him to conclude that the Mexican is lazy; that he's inefficient; and that he doesn't know how to keep a schedule.

These conclusions are wrong, of course. All of them could easily be disproved by a quick visit to downtown Monterrey.

However, the uncomfortable neighbors do see and treat time differently. This should be one of the first topics on their agenda to get to know each other.

Anfitrión e invitado

En una ocasión platiqué un rato con el Sr. Cónsul de México en Seattle, que en ese entonces era el Sr. Mariano Lemus Gas, acerca de las diferencias culturales entre mexicanos y americanos.

Entre otras cosas, el Sr. Lemus comentó sobre las "curiosas prácticas" entre anfitriones e invitados americanos.

"Me pareció curioso que me invitaran a algún lado, y luego esperaban que yo pagara la entrada o la cena a la que me habían invitado", dijo el Sr. Lemus. "Por mi parte, cuando yo invito a alguien, los gastos correrán por mi cuenta; pues yo soy el anfitrión, y el anfitrión mexicano tiene el deber de atender a sus invitados".

Como lo ha señalado el Sr. Lemus, el anfitrión americano es muy diferente al anfitrión mexicano.

Cuando el americano invita, a veces también invita a cooperar. Es costumbre que el invitado a la cena traiga algo al anfitrión; por ejemplo, unas flores o una botella de vino, o hasta parte de la cena — una salsa o un postre favorito.

Esto entre mexicanos sería un escándalo. "Cuando yo invito, no quiero que traigan nada", nos dijo una amiga mexicana, "pues sería una falta mía no atenderles en todo lo que necesiten". Cuando le pregunté cómo se sentiría si le trajera un postre para los niños, ella respondió: "Me sentiría mal; pues es como decir que no puedo preparar un postre aceptable".

Por el otro lado, el anfitrión americano agradece y hasta espera que los invitados traigan algo, cualquier cosita.

Otra amiga mexicana dice que nunca responde a invitaciones al famoso "potluck" americano, donde cada invitado trae un platillo para compartirlo con los anfitriones y los demás invitados. "Una vez, hasta me dijeron que trajera mi propio tenedor", dijo disgustada. "La costumbre mexicana es que, cuando invitan a cenar, es porque van a dar de comer; no van a pedir que traigan comida, ni mucho menos tenedores".

Aunque en México ya se acostumbran las invitaciones de "traje", equivalentes al *pot luck*, éstas son reservadas para buenos amigos, familiares y eventos especiales, pues en verdad chocan contra la famosa hospitalidad mexicana.

Cuando el americano invita a su vecino mexicano a cenar, posiblemente espere que traiga algo; pero lo probable es que el mexicano llegue sin nada más que su familia.

Guests and hosts

On one occasion I had an interesting conversation with the Mexican Consul in Seattle, at that time Mr. Mariano Lemus Gas, about the cultural differences between Mexicans and Americans.

Among other things, Mr. Lemus commented on the "strange behavior" between American guests and hosts.

"I thought it strange that I would be invited somewhere, and then be expected to pay my own way to get in or have dinner at the event I was invited to," he said. "For my part, when I invite someone, that person's expenses are my responsibility, because I am the host; and the Mexican host should take care of the needs of the guest."

Mr. Lemus pointed out how differently guests and hosts behave in our two cultures.

When the American issues an invitation, sometimes he's also asking for cooperation. It is customary for the American guest to bring something for the host; for example, flowers or a bottle of wine if it's a dinner invitation, or even part of the dinner, like a salsa dip or a favorite desert.

This would be scandalous among Mexicans. "When I invite you, I don't want you to bring anything," says a Mexican friend, "because it would mean that I failed to provide you with everything you needed." I asked how she would feel if I brought a desert for the children. "I'd feel terrible," she said. "That would be like saying that I can't make an acceptable desert."

The American host, on the other hand, appreciates and even expects his guest to bring something, any little thing.

Another Mexican friend says she never responds to American "potluck" invitations. "One time, the host even asked me to bring my own fork!" she said, disgusted. "The Mexican custom is that, if you're invited to dinner, you're going to get fed and you won't be asked to bring anything, much less forks."

Although in Mexico we see the potluck gaining in popularity, this is still reserved for good friends, family, and special events. The potluck, in fact, collides against the famous Mexican hospitality.

When the American invites his Mexican neighbor to dinner, he may expect his guest to bring something; but all he's likely to bring is his family.

When the Mexican invites his American neighbor to dinner, he doesn't expect his guest to bring anything; and he would be most distressed to

Cuando el mexicano invita a su vecino americano a cenar, no espera que traiga nada; y le causaría algo de desconcierto si su invitado aparece con parte de la cena.

Lo apropiado en estos casos es preguntar de antemano. "¿Gusta que traiga algo? ¿Cómo puedo cooperar? ¿Un vino, una salsa, un postre?" y así se resuelve el asunto.

En una ocasión me invitaron a mí y a mi señora a una cena de jubilación de un amigo mexicano. Cuando llegamos al lugar, para mi sorpresa nos cobraron la entrada "para cubrir los gastos".

"Menos mal que llevábamos dinero en efectivo para las entradas", comentó mi señora. "Estabas pensando como mexicano, esperando que, como invitado, todo se nos iba a dar".

Para nuestros vecinos mexicanos, es curioso que el americano "invita para cobrar"; pues para ellos, el anfitrión se encarga de todo.

see his guest arrive with part of the dinner.

The thing to do in these instances is to ask your neighbor beforehand, "should I bring something? How can I help? Wine, salsa, desert?" That should resolve the issue.

On one occasion my wife and I were invited to a retirement dinner for a Mexican friend of ours. To my surprise, we were charged an entry fee, "to cover expenses."

"Good thing we had enough cash to get in," said my wife. "You were thinking like a Mexican, expecting that, as the guests, we weren't going to have to pay anything."

For our Mexican neighbors, it seems strange that Americans invite you and then charge you, or expect you to bring something. For them, the host takes care of everything.

'I'm sorry' — ¿Deveras?

El americano tiene una peculiaridad que le cae mal a sus vecinos mexicanos. Con una sencilla frase se disculpa de cualquier cosa y espera que por decirla será perdonado.

"Lo que más me molesta con mis amigos americanos es el uso de la frase 'I'm sorry'", dice un amigo mexicano. "Con eso esperan que todo les sea perdonado y no tengan que explicar nada".

"La verdad que no me gusta oír 'I'm sorry'", agregó otra amiga mexicana, "porque yo sé que cuando lo dicen no son sinceros; solamente quieren escaparse de tener que dar explicaciones".

Por el otro lado, los americanos dicen que los mexicanos no tratan con cortesía, porque casi nunca piden disculpas cuando deben hacerlo. Aunque sí se escucha el "perdón" por ejemplo, cuando tropiezan contra alguien, raras veces se escucha al mexicano decir "lo siento", cuando se trata de resolver una disputa.

Ya vimos en el Capítulo 3 que para el mexicano es importantísimo mantener un sentido de honor personal. Las palabras "lo siento" son poderosas para él, porque pueden poner en riesgo ese sentido de honor. Esa frase no le sale con la facilidad con la que se usa entre sus vecinos americanos.

Los americanos preguntan, ¿cómo le hacen los mexicanos para disculparse más allá del sencillo "perdón"?

Lo que hacen es dar explicaciones; algo que el americano evita con un sencillo "I'm sorry".

El americano no entiende la importancia que la explicación tiene para el mexicano. La explicación justifica su comportamiento y da razones para entender mejor el conflicto, además de ayudar a preservar el honor de las partes. La explicación hace innecesario el decir "perdón" o mucho menos "lo siento".

Pero para el americano explicaciones y más explicaciones sólo impiden el progreso hacia la solución. Un "I'm sorry" y ya.

Hace unos años tuve una experiencia personal que perfectamente indicó la diferencia cultural en cuanto a pedir disculpas. Mi amigo Rafael hizo una cita conmigo para comer en un restaurante local. Llegué a la hora acordada y esperé una hora y hasta comí, pero nunca llegó Rafael. Volví a la oficina, esperando que me llamara para disculparse.

Pero ni siquiera me llamó.

'I'm sorry' — Really?

Americans have a little quirk that Mexicans don't like much. With one simple phrase they excuse themselves for just about anything, and expect by saying it, to be promptly forgiven.

"What really bothers me about Americans is the use of that phrase, "I'm sorry," says a Mexican friend. "By saying that, they expect everything to be forgiven and then they don't have to explain anything."

"I really hate to hear 'I'm sorry'", adds another Mexican friend, "because I know they don't mean it; they just want to get out of having to explain themselves."

On the other hand, Americans say that Mexicans aren't very polite, because they don't say "I'm sorry" as much as they should. Although you'll hear an "excuse me" if they should bump into you, for example, rarely will you hear a Mexican say *lo siento* in order to resolve a misunderstanding.

In Chapter 3 we pointed out the importance to the Mexican of maintaining his sense of personal honor. "I'm sorry" are powerful words for him, because they may put his personal honor at risk. Those words don't come nearly as easily for him as they do for his American neighbor.

Americans wonder how Mexicans express regret, beyond the simple "excuse me."

What they do, in fact, is exactly what the American avoids: they give explanations.

Americans don't understand the importance of the explanation to the Mexican. As well as helping to preserve the honor of all parties involved, the explanation justifies his behavior and gives a background for better understanding of the conflict. It renders the "I'm sorry" unnecessary, because the explanation *is* the "I'm sorry."

But not for the American, who absolutely *must* hear those magic words. "Say you're sorry!" he'll tell his children who are fighting, and he won't want to hear any explanations, because to him, explanations are "just excuses."

A few years ago I had an experience that perfectly described the cultural differences in regard to apologies. My friend Rafael and I had a lunch date at a local restaurant. I, of course, arrived shortly before the appointed time and waited for him, but he failed to show up, so I ate lunch and went back to work, and waited for Rafael to call and apologize for not showing up for lunch.

Sin poder contener mi disgusto, le llamé para preguntarle, "¿qui'ubo? ¿Dónde estabas? Me quedé esperando". Con calma, Rafael explicó que iba rumbo a la cita conmigo, cuando se paró en la casa para dejarle unos papeles a su esposa, quien acababa de hacer unos sabrosos tacos.

"Después de comerme los tacos, ya no tenía hambre, y por eso me volví al trabajo", explicó Rafael, sin concluir con "perdón", "lo siento", "I'm sorry", ni nada por el estilo.

Yo, totalmente disgustado; Rafael, contento porque me había dado la explicación, que, para él, debía ser todo lo suficiente como para resolver el asunto.

En las escuelas públicas americanas escuchamos a los maestros exigiendo que los niños digan "I'm sorry" para resolver conflictos. Es más, se niegan a aceptar explicaciones, pensando que son solamente "excusas".

Los americanos aprendemos desde muy temprano que con el mágico "I'm sorry", nos escapamos de tener que dar explicaciones. Para el americano el "apology" es más importante que la explicación, y siempre le va a hacer falta el "I'm sorry" cuando trata con mexicanos.

Por el otro lado, los mexicanos ven el "I'm sorry" como insincero; y prefieren dar o escuchar una explicación.

Los maestros americanos dicen que los estudiantes mexicanos son más "tarugos" que los demás. Cuando le pedí una explicación de este punto de vista, una maestra americana dijo que los niños mexicanos muchas veces se niegan a pedir disculpas para resolver algún conflicto.

Le expliqué que esta situación es solamente otro aspecto de la complicada relación entre los vecinos incómodos.

But he didn't even call.

I couldn't stand it. I called and told him I had waited for him; what happened?

Rafael calmly explained that he was on his way to meet with me, when he stopped off at his house to leave some papers for his wife, who had just made some delicious tacos.

"After eating those great tacos, I wasn't hungry anymore, so I came back to work," he explained. I hung onto the phone, waiting for an *I'm sorry* that never came.

I was irritated with Rafael for being rude (I thought) and not caring enough even to apologize; while Rafael was perfectly content, having resolved the issue with what, to him, was an adequate explanation (which, in fact, was his apology).

Americans learn from an early age that they can get away without having to explain themselves with the magical "I'm sorry," and by the time they're adults they absolutely must hear it to conclude just about any conflict or disagreement. Mexicans, however, hear that phrase as insincere, and prefer an explanation.

American teachers with Mexican children in the classroom say that their Mexican students are more "stubborn" than the others. When I asked a teacher to explain that statement, she said that the Mexican kids often refuse to apologize to resolve a conflict.

I explained to her that this was just one more aspect of the complicated relationship between the uncomfortable neighbors.

¿Por qué no aprenden inglés?

Una de las quejas más comunes que hacen los americanos es que los mexicanos supuestamente se niegan a aprender inglés, y esperan que se les atienda en su idioma natal. Señalan que otros grupos inmigrantes dejan atrás sus idiomas, igual que sus países, para integrarse en Estados Unidos, cuya lengua oficial es el inglés.

El americano observa que su vecino mexicano no aprende inglés, o lo aprende muy lentamente. Muchas veces los niños mexicanos sirven como intérpretes en la familia, porque los adultos, aunque hayan pasado varios años en los Estados Unidos, todavía no se defienden bien en inglés.

El americano también observa con disgusto que muchos "mexicanos" que no hablan inglés son en verdad chicanos, nacidos en este país, que nunca aprendieron inglés bien. "Speak English!" les dice, y para él, esto es prueba de que los mexicanos nunca llegarán a ser buenos ciudadanos americanos.

"¿Por qué no aprenden inglés?" preguntan muchos americanos. "Si quieren hablar español, ¡que se vayan a México!"

Lo que ignora nuestro amigo americano es que hablar su idioma no es tan sencillo. Los americanos son los dichosos herederos del idioma inglés, uno de los idiomas más flexibles y complicados en todo el mundo, con un rango de sonidos que excede a casi todos los demás.

El español, por ejemplo, contiene sólo cinco sonidos de vocales. Si le concedemos dos posibles sonidos a la letra e, llegamos al gran total de seis posibles sonidos de vocal en todo el idioma español. Pero en inglés, una sóla vocal (la e) contiene más posibles sonidos (8) que todo el idioma español. Para otra vocal (la i), existen 5 posibles sonidos. De hecho, todas las vocales en inglés tienen múltiples sonidos posibles.

Entonces, con esta sinfonía de sonidos, ¿cómo se aprende a pronunciar correctamente el inglés?

El mexicano, con su idioma relativamente más sencillo, más ordenado y lógico, aplicando sencillas reglas de pronunciación, puede pronunciar cualquier palabra bien, aun sin antes haberla visto.

Pero el americano, con su idioma complicado, lleno de palabras prestadas, inventadas y construidas, y con reglas de pronunciación llenas de excepciones, no puede pronunciar bien ninguna palabra nueva sin antes haberla escuchado. Por eso los diccionarios de inglés tienen una clave de pronunciación, la cual es innecesaria en los diccionarios de español.

Why don't they learn English?

One of the more common complaints of Americans is that Mexicans supposedly refuse to learn English, and expect everything to be done for them in Spanish. They point out that other immigrant groups left not only their countries behind, but also their languages, in order to integrate into the United States, where the official language is English.

The American observes how his Mexican neighbor doesn't learn English very fast. The children often serve as interpreters, because the parents, although they may have lived many years in the United States, still don't speak English very well.

The American becomes disgusted when he sees that many "Mexicans" who don't speak English are in fact Chicanos, born in this country, who never learned the language. "Speak English!" he says, and for him, this is proof that Mexicans will never become good American citizens.

"Why don't they learn English?" asks the American. "If they want to speak Spanish, they can go back to Mexico!"

What Americans don't realize is that speaking their language is not so simple. Americans are the fortunate heirs of the English language, one of the most complicated and flexible of all the languages of the world, with a range of sounds that exceeds nearly all the rest.

Spanish, for example, has only five basic vowel sounds. If we concede two sounds for the letter *e*, we get a grand total of six vowel sounds in the entire language. In contrast, the English *e* has eight possible sounds, more than all of the sounds in Spanish. Our English *i* has another five possible sounds. In fact, all of the English vowels have multiple sounds.

How then, with this symphony of sounds, are we supposed to learn how to pronounce English words correctly?

The Mexican, with his comparatively simple, organized, and logical language, applying simple rules of pronunciation, can pronounce any Spanish word he sees, even for the first time, correctly.

But the American, with his complicated language, full of words that are borrowed, invented or just put together, with rules of pronunciation full of exceptions, cannot pronounce correctly any word he sees unless he hears it first. That's why American dictionaries have a pronunciation key on every page and Mexican dictionaries don't.

The Mexican learning English not only faces a bewildering variety of sounds, but also the largest vocabulary in the world. English has more

Para el mexicano que aprende inglés, no sólo se trata de la complicación de sonidos, sino también del idioma con el mayor vocabulario del mundo. El inglés contiene más palabras, y está creciendo más rápido que cualquier otro idioma. Mientras que el español contiene alrededor de medio millón de palabras, el inglés contiene un millón y medio.

Por si fuera poco, los americanos emplean su complicado idioma de maneras incomprensibles para los mexicanos. El inglés está lleno de modismos que dificulta su aprendizaje y palabritas como *up* y *down* que pueden cambiar el sentido de otras palabras a su lado.

¿Por qué no aprenden inglés? Los americanos que preguntan esto no entienden que se trata de una tarea sumamente difícil; un estudio de años. Ellos fueron criados hablando uno de los idiomas más difíciles del mundo, y no aprecian las dificultades de aprender inglés. Por supuesto que existen excepciones; muchos inmigrantes de diferentes países, incluyendo a México, aprenden inglés rápido, y los niños también aprenden el nuevo idioma.

Pero para el inmigrante promedio, con bajos niveles de educación, que viene a Estados Unidos a trabajar, el aprender inglés es una tarea formidable.

No es cierto que nuestro vecino mexicano no quiera aprender inglés. Sí quiere. Las clases de inglés para adultos están llenas en todas partes del país. Tampoco es cierto que el mexicano espera que todo se le haga en español. Él entiende que éste es su país anfitrión y que debe aprender su idioma.

Lo que pasa es que no es fácil. Hay que tenerle comprensión.

words, and is adding new ones at a faster pace, than any other language. Spanish has about a half-million words, while English has about a million and a half.

As if this weren't enough, Americans use their complicated language in ways that are sometimes incomprehensible to Mexicans. English is full of idioms that make it even more difficult to learn, and little words like *up* and *down* that may or may not have the peculiar effect of changing the meaning of other words next to them.

Why don't they learn English? Americans who ask this don't realize that we're talking about a study of many years. They were raised speaking one of the most complicated languages in the world, and don't appreciate the difficulties for adults to "just go learn English."

Of course there are exceptions. Lots of immigrants from other countries, including Mexico, learn English quickly, as do the children. But for the average immigrant, with a modest education, coming to the United States to work, learning English is a formidable task indeed.

It's not true that our Mexican neighbor doesn't want to learn English. He does. English classes for adults are full all over the country. It's also untrue that Mexicans expect everything to be done for them in Spanish. They understand that they are guests and should learn the language of the host country.

But that's not so easy. Let's give them a break.

¿Por qué se resisten tanto a integrarse?

El americano observa cómo su vecino mexicano se establece en Estados Unidos sin integrarse de plano a la sociedad. Se queja porque no aprende inglés rápidamente y no adopta las costumbres americanas, sino parece que se aferra a su idioma y costumbres natales.

"Me molesta mucho ver que los residentes mexicanos celebren sus 'Fiestas Patrias' aquí, hasta con desfiles con todo y su bandera, cuando deben estar celebrando su integración en nuestra sociedad americana", comentó una amiga americana. "¿Cómo reaccionarían los mexicanos si yo desfilara por las calles de México un cuatro de julio con mi bandera estadounidense?" preguntó.

"Mis parientes vinieron a este país desde Alemania, en los 1920's", comentó otro amigo americano. "Dejaron atrás su país, su cultura, su idioma, para comenzar de nuevo como americanos. ¿Por qué no lo hacen así los mexicanos?"

Según el departamento de Inmigración, es cierto que los mexicanos son lentos para integrarse. El promedio nacional para integrarse entre todos los grupos de inmigrantes, según Inmigración, es de 5 años. Es decir, desde llegar legalmente a Estados Unidos hasta convertirse en ciudadanos, el plazo promedio es de 5 años. Pero un grupo de inmigrantes se toma mucho más tiempo que cualquier otro: Los mexicanos, que se demoran un promedio de 14 años.

Es irónico que nuestros vecinos más cercanos se resisten más a la integración. ¿Por qué será que los mexicanos se demoran tanto a convertirse en ciudadanos estadounidenses?

La respuesta, en verdad, es sencilla: Porque los mexicanos son nuestros vecinos. En contraste con inmigrantes de otras partes del mundo, los mexicanos tienen a la mano sus comunidades de origen; un viaje de unas cuántas horas en la carretera interestatal, y están de visita con la abuelita, con los amigos y otros familiares. Una sencilla y barata llamada telefónica y están platicando con la comadre en México.

Los mexicanos no tuvieron que cortar todos sus lazos con su país de origen para llegar aquí, como hicieron los inmigrantes europeos, africanos y asiáticos. Con razón se mantienen "aferrados" a su cultura y se demoran a convertirse en americanos; pues mantienen vivos sus contactos con México.

Por otro lado, muchos mexicanos vienen a Estados Unidos por cues-

Why do they resist integration?

The American observes how his Mexican neighbor gets settled without truly integrating himself into American society. He complains that his neighbor resists learning English and adopting American customs, and seems to hang on to the language and customs of Mexico.

"It really bothers me to see how Mexican residents celebrate their *Fiestas Patrias* (Independence Day) here, even having parades with their flag, when they should be celebrating their integration into our American society," said an American friend. "How would they feel if I went to Mexico on the Fourth of July and had a parade with my American flag?" she asked.

"My parents came here from Germany in the 1920's," said another friend. "They left behind their language, their culture, and their country to start over as Americans. Why don't Mexicans do that?"

According to the Immigration and Naturalization Service, Mexicans are in fact slow to integrate. While the national average for all legal immigrants, between the time they arrive to the time they become U.S. citizens is 5 years, according to Immigration, the average Mexican immigrant takes 14 years!

It seems ironic that our nearest neighbors take the longest to integrate. Why is that?

The simple answer is that Mexicans are our neighbors. Unlike immigrants from other parts of the world, Mexicans can be home, visiting grandma, after a few hours on the freeway. With an inexpensive phone card, they can talk any time to their family and friends in Mexico.

Mexicans don't have thousands of miles of ocean to cross, as do most other immigrants. Of course they hold on to their country and culture, and delay becoming American citizens! Their contact with Mexico is easily kept alive.

Many Mexicans come to the United States for economic reasons, to work and help support their families with their earnings. An incredible ten billion dollars was sent to Mexico in 2002 by Mexican workers in the United States, most of them earning minimum wage.

Many Mexicans say they're here temporarily, that they only came to work, not to become American citizens. They are proud to be Mexicans, and would find it difficult to convert into their traditional enemy, the American.

tiones económicas; para trabajar y apoyar a sus familias con sus ganancias. La increíble cantidad de diez mil millones de dólares fue enviada en el año 2002 a México, proveniente de trabajadores en los Estados Unidos, la mayoría ganando sueldos mínimos.

Muchos mexicanos dicen que solamente están aquí temporalmente; que sólo vinieron para trabajar, no para hacerse ciudadanos americanos. Se sienten muy mexicanos y para ellos sería difícil convertirse en el enemigo tradicional, el americano.

El americano, escuchando estos argumentos, desconfía de su vecino mexicano; piensa que no puede contar con él; pues ¿cómo puede ser buen amigo alguien que rechaza nuestro país?

El mexicano residente en los Estados Unidos debe estar al tanto de este sentimiento de sus vecinos americanos, y estar dispuesto a exponer su punto de vista para evitar problemas.

The American, hearing these arguments, mistrusts his Mexican neighbor. How could he count on him? How could someone who rejects his country be a good friend?

The Mexican living in the United States should be aware that his American neighbor feels this way, and should be able to avoid problems by openly discussing the issue.

Informes policiacos y 'malos choferes'

El americano pregunta por qué aparecen tantos nombres mexicanos en las noticias policiacas del periódico.

"La mayoría de los nombres en los reportes policiacos son de mexicanos", dice el vecino americano. "Los mexicanos no agradecen nada; vienen a mi país, que los recibe con brazos abiertos, y nos tratan con desprecio y sólo causan problemas".

Primero hay que explicarle al americano que sus vecinos mexicanos para nada son recibidos "con los brazos abiertos", sino con desprecio y discriminación. Luego, hay que analizar los datos.

¿Es cierto que "la mayoría" de los nombres son de mexicanos? En ciertas comunidades, donde los latinos son la mayoría, esto puede ser; pero por lo general, este reclamo es una exageración.

En la ciudad donde vivo, el 20% de la población es latina. La encuesta que hicimos dio un 30% de nombres latinos en los reportes policiacos.

En la ciudad vecina, con similares características, una vecina hizo otra encuesta en su periódico local, para llegar a un 25% de nombres latinos en los reportes policiacos.

¿Por qué dicen que es una "mayoría", cuando ni está cerca?

"Yo creo que los nombres mexicanos resaltan cuando leemos el periódico", explicó un amigo americano. "Esos nombres que no podemos pronunciar, que terminan en 'z', los notamos más que los 'Smith' y 'Johnson', por ejemplo, y luego creemos que todos los mexicanos son criminales".

En una ocasión le pregunté al jefe de Policía, "¿Por qué tantos nombres latinos en los reportes policiacos?" El jefe respondió:

"La verdad es que no se trata del país de origen; pues esto ocurriría con cualquier grupo de inmigrantes, como alemanes o italianos, por ejemplo. Cuando introducimos cualquier grupo de jóvenes en la ciudad, del país que sea, que no sepan bien el inglés, no tienen trabajos estables, están solos sin sus familias, no tienen ningún entretenimiento disponible, entonces van a causar problemas".

El jefe agregó que "De hecho, si les quitamos la cerveza, los problemas casi desaparecen. Los hombres, aburridos, sin trabajo, sin otro entretenimiento, se toman sus cervezas y se meten en líos, y la comunidad piensa que así son todos los mexicanos".

Por otro lado, el mexicano también es acusado de causar muchos

Police reports and 'bad drivers'

The American asks why so many Mexican names appear in the Police Reports section of his local newspaper.

"Most of the names in the Police Reports are Mexican names," he says. "Those Mexicans don't appreciate anything. They come to my country, where they're welcomed with open arms, and all they do is treat us with disrespect and cause problems."

We begin by explaining to our American friend that his Mexican neighbors haven't exactly been welcomed with open arms, but with contempt and discrimination. Then we take a closer look.

Is it true that "most" of the names are of Mexicans? In some communities, where Latinos are a majority, this could be true; but generally, this claim is exaggerated.

The city in which I live has a Latino population of about 20%. A survey we conducted of names in the Police Report showed that 30% were Latino.

In a neighboring city, with similar characteristics, a friend surveyed names in her local paper, finding that about 25% of the names in the Police Report were Latino.

So why do people say "most," when it's not even close?

"I think Latino names stand out more," says an American friend. "Those names we can't pronounce, that end in *z*, we notice more that the 'Smiths' and 'Johnsons,' and we end up thinking that all Latinos are criminals."

I asked the local Chief of Police why so many Latino names made the Police Report.

"It really doesn't matter what country we're talking about," answered the Chief. "It could be any group of immigrants, like Italians or Germans, for example, with the same characteristics: young, underemployed, with little English, alone, without their families, and with no entertainment available to them, they're going to cause problems."

The Chief added that if we remove beer from the environment, the problems almost disappear. "The workers, bored, waiting for work, without other entertainment, drink beer and get into trouble, and the community thinks that all Mexicans are like that."

Mexicans are also accused of being terrible drivers and causing lots of traffic accidents.

"When I see a car full of people going so slow that it's a road hazard,

accidentes de tráfico y en general de ser "mal chofer" de carro.

"Cuando veo un carro lleno de gente, que va tan despacio como para ser una amenaza para el tráfico, ya sé que se trata de un mexicano", dijo un vecino americano.

En cuanto al carro "lleno de gente", le explicamos que la familia mexicana es más grande, en promedio, que la familia americana.

En cuanto a la velocidad de conducir, le recordamos al americano que los accidentes de tráfico cobran miles de vidas al año, y que sería recomendable adoptar algo del detenimiento natural del mexicano. Además, señalamos que en México se acostumbra conducir a velocidades muy por debajo de los límites permitidos en las carreteras estadounidenses. Los choferes mexicanos están acostumbrados a "llegar con calma, pero llegar".

Algunos americanos disputarían lo anterior, citando experiencias espantosas mientras conducían en México. Sin embargo, muchas de estas experiencias se deben no tanto a velocidad, sino a las condiciones de las carreteras y a la falta de un control desarrollado de tráfico.

En las carreteras americanas, tomamos por dado las buenas condiciones y el control del tráfico. El chofer americano, siempre de prisa, se desespera con el mexicano y lo acusa de ser "mal chofer" y un "peligro" en el camino.

¿Por qué tantos nombres en los informes policiacos? ¿Por qué son malos choferes? Dos temas más en la lista de malentendidos entre los vecinos incómodos.

I know we've got a Mexican driver," said one American friend.

As to the car "full of people," we explain that the Mexican family is larger, on the average, than the American family.

As to driving speed, we remind our American friend that traffic accidents cause thousands of deaths per year, and that it might be a good idea to adopt a little of the Mexican's natural deliberation. In addition, we point out that speed limits in Mexico are far below those posted on American highways. Mexican drivers are accustomed to getting there eventually, but getting there.

Some Americans may dispute this last assertion, citing frightening experiences while driving in Mexico. However, many of these experiences are due not so much to speed as to road conditions and undeveloped traffic control procedures.

On American highways, we take good conditions and traffic control for granted. The American driver, always in a hurry, becomes impatient with the Mexican's driving habits, and accuses him of being a bad driver and a menace on the road.

Why so many names on police reports? Why are they bad drivers? Two more items on the list of misunderstandings between the uncomfortable neighbors.

Chapter 5
Capítulo 5

Moving On
Adelante

Before we can resolve a problem, we must acknowledge that we have one. While white Americans are extremely reluctant to acknowledge the reality of discrimination in American society, a whopping 82% of Latinos said in a recent Kaiser Family Foundation survey that discrimination is a problem that prevents them from succeeding in the United States.

Chapter 5 invites us to acknowledge the issue and move on. There are lots of things we can do, beginning with educating ourselves and our children. Although it's a global problem, it has a personal solution. It's up to you — what do you say?

Antes de resolver algún problema, debemos reconocer que el problema existe. Aunque los americanos blancos se resisten a reconocer que existe la discriminación dentro de la sociedad americana, un abrumador 82% de los latinos en una reciente encuesta conducida por la Kaiser Family Foundation, indicó que la discriminación es un problema que les impide lograr el éxito en los Estados Unidos.

En el Capítulo 5, pedimos que se reconozca el problema y marchar hacia adelante. Hay mucho por hacer, comenzando con la educación propia y de nuestros hijos. Aunque sea un problema global, tiene una solución personal. Amable lector, de usted depende — ¿qué dice?

¿Existe la discriminación?

Nuestro vecino mexicano dice que la discriminación es uno de los obstáculos mayores en su lucha por superarse en los Estados Unidos. Dice que muchos americanos no le dan las oportunidades que se merece, solamente por el hecho de ser mexicano.

¿Será?

El americano niega ser racista; insiste que "a todos los tratamos por igual" (uno de sus lemas favoritos); y niega que exista la discriminación dentro de su área de responsabilidad.

La firma encuestadora Gallup conduce un estudio todos los años sobre las actitudes de los americanos, en cuanto a las relaciones entre las razas. El interesante resultado de estas encuestas es que todos los años, los americanos blancos responden que la discriminación "va bajando" dentro de la sociedad estadounidense; y que ya no es un factor principal entre las razas. En contraste, los americanos de color, entre ellos latinos, negros y asiáticos, responden que la discriminación sigue siendo uno de los principales problemas de la sociedad.

Hace varios años estallaron disturbios callejeros en Los Ángeles como resultado del abuso del ciudadano negro Rodney King por unos policías blancos. Después de los hechos, los comentaristas blancos asignaron una gran variedad de factores causantes; pero casi ninguno mencionó la discriminación. En tanto, los comentaristas de color casi todos mencionaron la discriminación como factor principal de los disturbios.

¿Qué está pasando? ¿Existe o no la discriminación?

El americano blanco se incomoda cuando se habla de discriminación. Le incomodan las historias del pasado, cuando el descarado maltrato a gente de minorías era cosa de todos los días. No le gusta ser comparado con sus antepasados, que creían que el hombre blanco era la cumbre de la evolución y los no blancos eran seres inferiores. El americano blanco que discrimina va en contra de una de las bases fundamentales de su propio país, que declara que "todos los hombres fueron creados iguales".

Por estas razones, el americano blanco quiere convencer a su vecino mexicano que la discriminación ya no es el problema de antes; que las cosas van mejorando, y que él no es racista.

"Yo no soy racista", es algo que se escucha comúnmente entre los americanos.

Lamentablemente, esto no puede ser la verdad; pues todos los seres

Is there discrimination?

Our Mexican neighbor says that discrimination is one of the biggest obstacles in his struggle to get ahead in the United States. He insists that many Americans will deny him opportunities, simply because he is a Mexican.

Could this be true?

The American denies being racist; he insists that "everyone's treated the same," (one of his favorite themes) and he denies that discrimination exists within his own area of responsibility.

The Gallup organization does a yearly survey on American attitudes toward race relations. It is interesting to see how white Americans insist every year that discrimination is declining in American society, and is no longer the factor it used to be in race relations. At the same time, Americans of color insist that discrimination continues to be one of the main problems in American society.

Several years ago, street riots broke out in Los Angeles after Rodney King, an African American, was beaten by white police officers, who later escaped punishment through the legal system. There was much comment and analysis about the riots. The American media was greatly reluctant to acknowledge discrimination as a factor, while the Mexican press routinely cited discrimination as a fact of American life and the principal cause of the riots.

So what's going on? Do we or don't we have discrimination?

The white American gets uncomfortable when the topic is discrimination. He doesn't like talking about the past, when open mistreatment of minorities was a common occurrence. He doesn't like being reminded of his ancestors, who believed that the white man was at top of the evolutionary heap, and that nonwhites were inferior beings. Today, the white American who discriminates goes against one of his country's founding principles, that "all men are created equal."

That's why the white American tries to convince his Mexican neighbor that discrimination is no longer the problem it used to be; that things are getting better; and that he is not a racist.

"I am not racist, but..." is a pretty common opener in American conversation.

Unfortunately, this cannot be the truth. All human beings, to a greater or lesser degree, are racists. It is natural among humans to emphasize the

humanos somos, en mayor o menor grado, racistas. Es natural entre los humanos hacer resaltar las diferencias entre nosotros, y discriminar como resultado de esas diferencias. El deber de la civilización es minimizar las consecuencias de esa discriminación; hacer resaltar nuestras semejanzas y respetar los derechos de todos.

En todos los países y en todos los tiempos ha habido racismo y discriminación. Pregúntele a los indígenas mexicanos, a los irlandeses en Nueva York, a los haitianos en la República Dominicana, a los italianos en Alemania, a los chinos en Japón; en fin, por todos lados los seres humanos discriminamos.

Esto no es decir que la discriminación debe ser aceptada, sino reconocida. El mexicano siente disgusto cuando su vecino americano, luego de insistir que "no soy racista", también le dice que la discriminación ya no es un factor importante en el país.

Al mexicano le toca explicar a su vecino que la discriminación es un factor importantísimo, y citar ejemplos personales o dentro de la sociedad; pero con comprensión, evitando acusar al americano de nada; porque nadie quiere ser de los malos.

Comentarios sobre relaciones culturales de niños de cuarto grado, septiembre, 2001:

- Tenemos que aprender el idioma del otro.

- No debemos permitir un equipo americano contra un equipo mexicano durante recreo.

- A veces no debemos hacer caso cuando alguien nos maldiga, pero a veces debemos defendernos.

- Para algunas personas, responder a lo que diga alguien no funciona; sólo lo hace peor.

- Los que digan malas cosas deben pedir disculpas.

- Debemos poner un buen ejemplo para nuestros padres si ellos tienen prejuicios.

- Si hay discriminación, ¿por qué no hablamos de ello?

- Debemos invitar unos y otros a nuestras casas.

differences among us, and discriminate as a result of those differences. It is the duty of civilization to minimize the consequences of that discrimination, to emphasize our similarities, and to make sure that the rights of all are respected.

In every country and in every era there has been discrimination. Ask Mexican Indians, the Irish in New York, the Haitians in the Dominican Republic, the Italians in Germany, and the Chinese in Japan. Human beings everywhere discriminate.

This is not to say that discrimination should be accepted. It should, however, be recognized. The Mexican is disgusted when his American neighbor, after beginning with "I'm not a racist," tries to convince him that discrimination is no longer an important factor in American society.

The Mexican should explain that discrimination continues to be a very important factor in his life, citing his own personal experiences. He should also point out examples of discrimination in American society; but gently, avoiding accusing his American friend of anything, because nobody likes to be one of the bad guys.

Comments on cultural relations by 4th grade boys, September, 2001:

- We have to learn each other's language.

- We should not allow the American team vs. the Mexican team on the playground.

- Sometimes we should ignore it when someone calls us names, but sometimes we should fight back.

- For some people, fighting back doesn't work; it makes things worse.

- The ones who say bad stuff should apologize.

- We should set a good example for our parents if they are prejudiced.

- If there's prejudice, why don't we just talk about it?

- We should invite each other over to our houses.

Mexicanos y chicanos

Por lo general el americano no distingue entre los mexicanos y su prole, los chicanos. Para él, todos son iguales. Es capaz de llamarles *mexicanos*, *chicanos*, *latinos*, o *hispanos* sin distinción. No entiende la gran importancia que tiene el país de origen entre los inmigrantes; pues en su caso, dejó atrás para siempre el país de sus antepasados para adoptar cabalmente su nueva identidad de *americano*.

El asunto se vuelve más enredado todavía por el hábito de muchos chicanos de identificarse a sí mismos como "mexicans".

Pero, ¿qué importa? ¿Por qué pedirle al americano que haga una distinción entre sus vecinos mexicanos y chicanos?

Porque no son iguales; de hecho, son representantes de culturas muy distintas.

Mientras que el mexicano es una persona nacida y aculturada en México, el chicano es una persona nacida y aculturada en los Estados Unidos, aunque descendiente de padres mexicanos.

Entre la primera generación de inmigrantes, tenemos familias cuyos miembros son una mezcla de mexicanos y chicanos. Nuestros amigos consejeros nos dicen que estas familias muestran mayores conflictos internos que familias de todos mexicanos o todos chicanos. El conflicto más común se da entre los padres mexicanos y sus hijos chicanos, quienes van adoptando cada vez más los aspectos de la cultura americana y dejando de lado los aspectos de la cultura de sus padres.

Al chicano le gusta hablar inglés; al mexicano, español. El chicano es ciudadano estadounidense; el mexicano no. Para el mexicano, el compadre del hermano de la esposa de su tío Maclovio es parte de su familia; para el chicano no. El mexicano evita mirarle a los ojos a la gente; el chicano no. El mexicano le tiene respeto a todas las personas; pero el respeto del chicano es algo que se tiene que ganar. Al mexicano le gusta hacer sus compras al contado; al chicano, con sus tarjetas de crédito. Para el mexicano la autoridad es respetada; para el chicano, es desafiada. El mexicano acepta; el chicano cuestiona. El mexicano "es" casado; el chicano "está" casado... y etcétera.

Podríamos agregarle mucho más a esta lista; pero ya se ve que el mexicano y el chicano son personas de distintas culturas. Por supuesto que tienen mucho en común, al igual que, por ejemplo, americanos y canadienses. Pero sus diferencias son importantes y deben ser respetadas.

Mexicans and Chicanos

The American doesn't usually distinguish between the Mexican and his offspring, the Chicano. To him, they're all the same. He's liable to call them *Mexicans*, *Chicanos*, *Latinos*, or *Hispanics* without distinction. He doesn't understand the great importance of the country of origin among immigrants, since his people left their ancestors behind forever, and with no thought of ever returning to the old countries, adopted their new identity of *Americans*.

The issue gets even more confusing when Chicanos often identify themselves as Mexicans.

But who cares? Why should we ask Americans to distinguish between Mexicans and Chicanos?

Because they're not the same; in fact, they are representatives of very different cultures.

While the Mexican is a person born and raised in Mexico, the Chicano is a person born and raised in the United States, although of Mexican parents or grandparents.

Among the family members of first generation immigrants, we find a mixture of Mexicans and Chicanos. Our counselor friends tell us that these families have more conflict than families of all Mexicans or all Chicanos. The most common conflict is between Mexican parents and their Chicano children, who leave behind the culture of their parents as they adapt to American culture.

The Chicano speaks English; the Mexican speaks Spanish. The Chicano is an American citizen; the Mexican is not. For the Mexican, the godfather of the child of the brother of the wife of Uncle Maclovio is part of the family; but not for the Chicano. The Mexican avoids direct eye contact; but not the Chicano. The Mexican has a basic sense of respect for all people; but the Chicano's respect must be earned. The Mexican buys items with cash; the Chicano, with his credit cards. The Mexican respects authority; the Chicano defies it. The Mexican accepts; the Chicano challenges. The Mexican *es casado* (married permanently); the Chicano *está casado* (married temporarily)… and so on.

We could keep adding to this list; but we get the point: Chicanos and Mexicans come from different cultures. Of course they have plenty in common, as, for example, do Americans and Canadians. But their differences are important and must be respected.

En una ocasión me pidieron que fuera a una escuela local para hablar con los maestros sobre el conflicto que se había armado entre los estudiantes chicanos y mexicanos.

"No entiendo por qué están disputando", dijo una maestra, "¿acaso no son del mismo grupo?"

El conflicto se dio en la escuela cuando un grupo de chicanos comenzó a burlarse de un grupo de mexicanos, por no hablar bien el inglés, por vestirse diferente; y en fin, por ser mexicanos. Los muchachos mexicanos respondieron con burlas porque los chicanos no hablaban bien el español y se vestían diferente; en fin, por ser chicanos.

Para la gran consternación de mis amigos chicanos, les digo que en ciertos aspectos son más parecidos a los americanos que a los mexicanos. A pesar de identificarse más con su lado mexicano, los chicanos han adoptado aspectos culturales netamente americanos. Al mismo tiempo, retienen varios aspectos culturales de sus antepasados mexicanos. De hecho, los chicanos deben ser ubicados dentro de su propia cultura.

Por eso le aconsejamos al americano que haga la distinción entre sus vecinos chicanos y mexicanos; para entenderlos mejor.

On one occasion I was called out to a local school to mediate a conflict between Mexican and Chicano students.

"I don't understand why they're fighting," said a teacher, "Aren't they from the same group?"

The conflict began when a group of Chicanos began making fun of a group of Mexicans for not speaking English very well, for dressing differently, and in fact for being Mexicans. The Mexican kids responded by making fun of the Chicanos for not speaking Spanish very well, for dressing differently, and in fact for being Chicanos.

To the great consternation of my Chicano friends, I tell them that in certain respects they are more like Americans than Mexicans. Although they identify more closely with their Mexican roots, Chicanos have adopted many cultural traits that are truly American. At the same time, they retain certain aspects of their Mexican ancestors.

Neither one nor the other, Chicanos occupy their own bona fide cultural niche. That's why we tell Americans to distinguish between their Mexican and Chicano neighbors, if they want to get to know them better.

El sicólogo escolar

Hace algunos años tuve una conversación con un sicólogo escolar. El sicólogo, un hombre americano anglosajón, dijo que trabajaba por igual con todos los niños de la primaria, mexicanos o americanos.

"Enseñamos a los niños cómo elogiar a otros y cómo celebrar al individuo", explicó el sicólogo.

Y pensé: *Pero el mexicano es una persona que difícilmente acepta elogios, por no querer ser egoísta; ni mucho menos celebrar al individuo, por ser una persona familiar y colectivista...*

"Enseñamos a los niños a 'volverse en tortugas' (*turn turtle*, o sea, no hacer caso) en vez de pelear, porque nada se resuelve a golpes", continuó el sicólogo.

Y pensé: *Pero hay que saber defenderse, y el padre de familia mexicano, mayormente machista, no verá con buenos ojos que su hijo se 'vuelva tortuga' cuando debe defenderse...*

"También les enseñamos a decir que 'NO', con razonamientos, fuertes gestos de manos y firme contacto de ojos", continuó explicando el consejero.

Y pensé: *Pero el mexicano, siendo una persona para quien el respeto es de mayor importancia, muchas veces evita el fuerte 'NO' para no ofender, sino usando otras palabras, como por ejemplo: 'Bueno, no sé...'; y ni hablar de los gestos de manos y contacto de ojos, lo que el mexicano ve como una falta al respeto...*

"Además, utilizamos una terapia realista (*reality therapy*) con los niños. La pregunta de mayor importancia para el niño es: ¿Qué es lo que tú quieres? Entonces les preguntamos, ¿Qué estás haciendo para lograr lo que quieres? Y ¿Qué otra cosa puedes hacer?", dijo el sicólogo.

Y pensé: *Pero el mexicano no ve las cosas así. Lo más importante no es lo que el niño quiera, sino lo que su familia necesite. Darle tanta importancia a lo que uno quiere es egoísmo...*

"Les hablamos a los niños sobre la necesidad de cambiar su modo de pensar, y cómo eliminar pensamientos erráticos (*junk thoughts*)", agregó el terapeuta. Como ejemplo de un "pensamiento errático", dio lo siguiente: "La vida debe ser justa".

Y pensé: *Pero lo "errático" para el americano no es lo mismo que para el mexicano, quien ha luchado toda la vida contra la discriminación y piensa con toda sinceridad que "la vida debe ser justa".*

The school psychologist

A few years ago I had a conversation with a school psychologist, an Anglo American, who stated that he worked with all of the children in the elementary school, Mexicans and Americans alike.

"We teach the kids how to give compliments and celebrate the individual", he said.

And I thought: *but Mexicans have a hard time accepting praise, since that would be selfish; and an even harder time celebrating individuals, since they are family-oriented and collectivistic...*

"We teach the children how to 'turn turtle' instead of fighting, because nothing is solved by violence," the psychologist continued.

And I thought: *but it's important to know how to defend yourself, and the Mexican father, with machismo in his background, will probably not appreciate his son "turning turtle" when he should be defending himself...*

"We teach refusal skills, how to look people in the eye and say 'no,' firmly, with lots of eye contact and hand motions", the counselor said.

And I thought: *but the Mexican, for whom respect is of central importance, will avoid the strong "no," so as to not offend, and will use other, indirect refusal strategies, like "well, I don't know..." And forget the eye contact and hand gestures, which the Mexican will almost certainly perceive as disrespectful...*

"We also use reality therapy with the children," said the psychologist. "We tell them the most important question is, 'What do you want?' Then we ask, 'what are you doing to get what you want?' and 'what else could you do?'"

And I thought: *but the Mexican doesn't see things that way at all. The most important question is not what the Mexican child wants, but what his family needs. Paying so much attention to what the individual wants is, to the Mexican, selfish and egotistic...*

"We talk to children about the need to change their way of thinking, and how to eliminate 'junk thoughts,'" said the therapist. As an example of a "junk thought," he gave the statement, "Life should be fair."

And I thought: *but "junk" isn't the same for Americans as it is for Mexicans, who have struggled all their lives against discrimination, and believe in all sincerity that "life should be fair..."*

"Since I don't speak Spanish, we do individual counseling through

"Puesto que no hablo español, damos consejos individuales por medio de intérpretes", dijo el sicólogo.

Y pensé: *Pero todos sabemos que el uso de intérpretes para consejos personales es un error. La verdadera historia y experiencia emocional de una persona nunca podrán ser comunicadas bien por un intérprete.*

"También hacemos terapia en grupos para niños que hayan sufrido la pérdida de algún ser querido, por medio de la muerte o el divorcio, y para niños que no tienen amigos, les enseñamos cómo ganar y mantener amigos", agregó el sicólogo.

Y pensé: *Pero los conceptos de muerte y amistad son muy distintos entre las culturas americana y mexicana. Enseñarle estos conceptos a un niño mexicano desde la perspectiva americana es peligroso; pues cuando salga de la escuela y se vaya para la casa, puede resultar en conflictos dentro de su familia.*

"Seleccionamos a ciertos niños para ser intermediarios en la resolución de conflictos entre los estudiantes, y lograr que se disculpen con un *'I'm sorry'*, concluyó el sicólogo. "Les enseñamos técnicas de resolución de conflictos, las cuales podrían utilizar dentro de sus mismas familias".

Y pensé: *Pero al mexicano no le gusta escuchar "I'm sorry", en vez de una honesta explicación para resolver el conflicto; y ¡pobre del niño que trate de utilizar sus nuevas "técnicas" en la casa, cuando el conflicto sea con el jefe!*

El sicólogo escolar me dejó con muchas dudas por el poco entendimiento que mostraba sobre la importancia de las diferencias culturales. "¿Qué resultados ha tenido con los niños mexicanos?" Le pregunté.

"Bueno," dijo un poco avergonzado, "la verdad es que casi no trabajo con los mexicanos porque nunca me ha dado resultados".

Y pensé: *Menos mal que este hombre sepa lo inútil que es el trabajar con gente cuya cultura y lenguaje no entiende; pero entonces, ¿para quién está el sicólogo escolar?*

interpreters," said the psychologist.

And I thought: *but we all know that using interpreters for individual counseling is a mistake. The true history and experience of a person can never be made clear through an interpreter...*

"We also conduct group therapy for kids who have lost a loved one through death or divorce, and for kids who don't have friends, we teach them how to make and keep friends," added the psychologist.

And I thought: *but the concepts of death and friendship are very different in American and Mexican cultures. Teaching these concepts to a Mexican child from an American perspective is dangerous; for when he leaves school and gets home, his new ideas could lead to family conflict...*

"We select certain children to be peer mediators and help resolve conflicts between students," the psychologist continued, "and get them to say 'I'm sorry.' They learn conflict resolution skills that they can use at home with their families."

And I thought: *but the Mexican doesn't like to hear "I'm sorry," which he believes is a cop-out that prevents an honest explanation to resolve the conflict; and I pity the Mexican child who goes home and tries out his new "conflict resolution" skills on Dad!*

I was concerned by the apparent lack of appreciation shown by the school psychologist for the importance of cultural differences. I asked him what kind of success was he having with Mexican children.

"Well," he answered, apparently embarrassed, "the truth is I don't work much with Mexican kids, because I never get good results with them."

And I thought: *at least this man knows that it's pointless to work with people whose culture and language he doesn't understand; but then, just whom is the school psychologist supposed to be serving?*

Choques culturales en el trabajo

Los choques culturales que ocurren en el trabajo son serios, pues pueden resultar en la pérdida del empleo para alguien. En el caso más común, se trata de un empleado mexicano y un supervisor o patrón americano.

El trabajador mexicano es capaz de acusar al patrón de "discriminación", cuando en verdad se trata de un malentendido con bases culturales. El patrón americano es capaz de despedir a un buen empleado por no entender bien las bases culturales de su conducta.

Desde el principio del proceso, es decir la entrevista para el trabajo, las diferencias culturales pueden impedir la buena comunicación. El solicitante mexicano, mayormente humilde, sin egoísmo, sin jactarse de sí mismo, debe crear una impresión favorable para ser aceptado. Por el otro lado, el supervisor americano busca emplear a una persona que le diga lo maravilloso que es; alguien que se jacte de sus cualidades y hazañas en el trabajo.

En otra ocasión, notamos que el mexicano evita llamar la atención a sí mismo. Según su cultura familiar, el individuo tiene poca importancia en comparación a la familia. El mexicano que se elogia a sí mismo es pronto "puesto en su lugar" por sus amigos y familiares, que entre chiflidos lo denuncian por ser "egoísta".

Este aspecto cultural de nuestro vecino mexicano le perjudica cuando se trata del trabajo en los Estados Unidos, donde los derechos del individuo son la base de la política y el interés individual es la base de la economía.

El solicitante en Estados Unidos debe señalar con orgullo sus experiencias y cualidades para el trabajo; y el empleado a veces debe señalar al patrón que está haciendo bien su trabajo. Para el mexicano esto va a ser difícil; pues según su cultura, sería egoísta hablar así de sí mismo.

Una vez contratado, el mexicano enfrenta situaciones a diario que le podrían causar problemas con sus supervisores y compañeros de trabajo americanos, no por no hacer bien su trabajo, sino por no existir un buen entendimiento cultural entre las partes. Ambos tienen la obligación de aprender todo lo posible sobre el otro.

A los patrones y supervisores americanos con empleados mexicanos, les hacemos estas sugerencias:

- Si se necesita utilizar un intérprete, éste debe ser

Cultural collisions at work

Cultural collisions at work can be serious, since they may lead to someone losing a job. The most common situation involves an American supervisor and a Mexican employee.

The Mexican employee is likely to accuse the American employer of "discrimination," when in fact the issue is a culturally-based misunderstanding. The American employer, on the other hand, is likely to terminate the Mexican employee whose culturally-influenced behavior he doesn't understand.

From the beginning of the process, that is, the job interview, cultural differences can impair good communication. The Mexican applicant, humble, unselfish, without bragging about himself, must create a favorable impression to be accepted. On the other side of the table, the American employer looks for someone who will tell him how great he is; someone who will brag about himself and his abilities at work.

Elsewhere we noted how the Mexican avoids calling attention to himself. According to his family-oriented culture, the individual has little importance in comparison to the family. The Mexican who praises himself will quickly be "put in his place" by family and friends, who amidst whistles and catcalls will make fun of him and label him "egotistical," a serious concern indeed, if you live in Mexico.

This cultural aspect of our Mexican neighbor puts him at a disadvantage when it comes to work in the United States, where the right of the individual is the basis of our politics and individual interest is the basis of our economy.

The job applicant in the United States must proudly point out his background and abilities for the job; and once on the job, the employee sometimes must point out to his supervisor that he's doing well. For the Mexican this will be difficult, since in his culture, this would be egotistical behavior.

Once employed, the Mexican faces challenges with his American supervisors and co-workers, who may not understand the cultural basis of his behavior, nor he of theirs. Each side has the obligation to learn as much as possible about the other, if they are to get along.

We offer the following suggestions to American supervisors with Mexican employees.

- If you must use interpreters, choose them

contratado con mucho cuidado, con atención a su país de origen y su estado socioeconómico además de sus habilidades de interpretación. Un amigo mexicano, de clase humilde, dice que perdió su trabajo en una ocasión por culpa de la intérprete ecuatoriana, de clase alta (según ella), que simplemente le interpretó mal ante los supervisores americanos.

- Hay que respetar la "barrera de idiomas" que existe, aun para los empleados que "hablan inglés". Muchos mexicanos entienden mucho o poco inglés; pero no tanto como para entender todos los chistes, ni las palabras de doble sentido, ni los modismos que ocurren a menudo en nuestro diario hablar. Los supervisores deben estar al tanto de esto y no deben contar chistes ni bromear con los empleados mexicanos (y de hecho, con cualquier empleado). Están allí para trabajar.

- En contraste con el americano, que todo lo tiene que ver por escrito, el mexicano es una persona que aprende bien en base a lo que escucha. Además, el mexicano no tiene que estarle mirando a los ojos para escucharle bien. Usando términos claros, explíquele bien lo que se espera de él.

- Los supervisores deben tener especial cuidado con el tratamiento desigual a los empleados. El trabajador mexicano es sumamente sensible y tiene un radar interno muy delicado, que con facilidad puede detectar el favoritismo y la discriminación.

- Muchos de los gestos de llamar atención en Estados Unidos serían una falta de respeto entre mexicanos. Tronar los dedos, chiflar, alzar la voz y señalar con el dedo, son algunos gestos que causarían problemas entre supervisores

carefully, with special attention to their countries
of origin and socioeconomic status, as well as
their interpreting abilities. A Mexican friend, of
working-class status, said he once lost a job
because the Ecuadoran interpreter, of high-class
status (according to her), was simply not interested in interpreting very accurately.

- Respect the language barrier, even with employees who supposedly speak English. Many Mexican employees understand some English; but not
enough to get the jokes, or understand words and
phrases with double meanings, or understand the
many idioms and sayings that pepper the English
language and pop up everywhere in daily dia-
logue. Supervisors should avoid using humor
with Mexican employees (and really, all employees). They're there to work.

- Unlike the American, who must see everything in
writing, the Mexican is an excellent auditory
learner. Also, the Mexican doesn't have to be
looking you in the eye to be listening to you.
Avoiding idioms and using clear terms, calmly
explain what you expect of him.

- The Mexican employee is extremely perceptive,
and has a very sensitive radar, capable of detect-
ing any hint of favoritism or discrimination on the
part of the supervisor, who must guard against
unequal treatment of employees.

- Many of the methods of calling attention in the
United States are gestures of disrespect in Mexico.
Snapping and pointing fingers, whistling, and
calling in a loud voice, are gestures that will cause
problems between American supervisors and
Mexican employees.

- American supervisors have a direct communication style, while their Mexican employees have an
indirect style. Supervisors should give latitude to

americanos y sus empleados mexicanos.

- Los supervisores y patrones americanos tienen un estilo directo de comunicación, mientras que sus empleados mexicanos son de una cultura donde el estilo de comunicación es indirecta. Deben tratar con comprensión a sus empleados mexicanos que evitan la comunicación directa con el supervisor.

- Atención a los conflictos entre el empleado mexicano y otro empleado o supervisor americano; examine con cuidado las bases del conflicto para asegurar que no se trate de algún malentendido que no tiene nada que ver con el trabajo, sino con sus distintas culturas.

- El mexicano es una persona que respeta la autoridad. El supervisor americano debe tomar en serio su responsabilidad en el trabajo y no tratar de ser "amigo de todos". Antes de nada hay que tratar siempre con respeto, el cual es la base fundamental de la cultura mexicana.

Nuestros vecinos mexicanos, al llegar a este país, sufren muchos choques al adaptarse a nuestra cultura individualista americana; no sólo en la casa, sino también en el trabajo, donde más necesitan de nuestra comprensión.

Mexican employees who "beat around the bush,"
or otherwise attempt to communicate indirectly.

- Conflicts involving Mexicans and Americans
  should be looked at a little more closely, to make
  sure there is not a culturally-based misunderstanding at the bottom.

- The Mexican respects authority. The American
  supervisor should take his responsibility seriously
  and not try to be everybody's friend. Supervisors
  should be aware of the employees' need to be
  treated with respect, which is the foundation
  stone of Mexican culture.

Our Mexican neighbor, when he gets to this country, suffers a lot of
shocks adapting to American individualistic culture; not only at home, but
also at work, where he needs our understanding the most.

Día de Muertos y Halloween

En pocas instancias resaltan las diferencias entre los vecinos incómodos tanto como ocurre durante Halloween y el Día de los Muertos. Estos días festivos tienen las mismas raíces históricas. Originaron en la Europa medieval; fueron adaptados para acomodarse dentro de la religión Católica; y tienen el mismo propósito fundamental: el de rendir honores a nuestros seres queridos que han muerto. Pero allí paran las similitudes.

La cultura americana rechaza la muerte. Enfocados hacia el futuro, los americanos le tienen miedo a la muerte y no les gusta hablar de ella. La muerte representa el fin de todos sus esfuerzos y hacen todo lo posible por evitarla. Dedican increíbles recursos nacionales para engañar a la muerte, aunque sea por corto tiempo, con su ciencia y tecnología modernas.

Por el otro lado, la cultura mexicana acepta la muerte. Enfocados hacia el pasado y el presente, los mexicanos no le tienen miedo a la muerte y hablan de ella con facilidad. La muerte no representa el fin de nada porque es parte de un ciclo inevitable. El mexicano no lucha tanto para engañar a la muerte, porque cuando se muere alguien, es porque le tocó, y ya; *ni hablar*.

Halloween es la noche anterior al Día de Todos los Santos, o sea, la noche del 31 de octubre. En Estados Unidos, Halloween no es un día feriado, pues es una fiesta de noche. La costumbre es para que los niños se disfracen y hagan una gira por la comunidad local, pidiendo dulces a los vecinos.

La parte siniestra de la celebración, a la que se oponen muchos religiosos, es lo que ellos ven como la veneración al Diablo; pues muchos disfraces son de diablos, brujas, duendes y monstruos; y la magia negra toma el lugar de la religión.

Además, el pedir dulces a los vecinos no es tan inocente; pues "trick or treat" quiere decir "o me das una golosina, o te juego un truco". El vecino que no dé dulces está expuesto al truco, que fácilmente puede salirse de control en esta "noche de travesuras".

El Halloween americano carece de todo significado religioso o moral. No tiene nada que ver con las almas de nuestros seres queridos; no tiene nada que ver con la veneración ni con el respeto. Aunque muchas familias americanas tratan de convertir a Halloween en una feria para los niños, el hecho es que esta "Noche de Brujas" es una celebración de nada;

Halloween and the Day of the Dead

In few instances do we have as clear an indication of the differences between the uncomfortable neighbors as we see during Halloween and the Day of the Dead. These holidays share the same historic roots. They were born in Medieval Europe; they came from or were adapted to fit the Roman Catholic religion; they have the same basic idea, of honoring our loved ones who have died. But that's where the similarities end.

American culture rejects death. Americans, focused on the future, are afraid of death and don't like to talk about it. Death represents the end of all their efforts, and they do everything possible to avoid it. They dedicate an incredible amount of their national resources to cheating death with their science and technology, even if just for a short time.

Mexican culture, on the other hand, accepts death. Focused on the present and the past, Mexicans are not afraid of death and are comfortable talking about it. Death doesn't represent the end of anything, because it's part of an inevitable cycle. The Mexican doesn't strive to cheat death, because when someone dies, "it was his turn," and that's all there is to it.

Halloween is the evening before All Saints Day; that is, the night of the 31st of October. In the United States, Halloween is not an official holiday, but just an evening celebration. The custom is for children to put costumes on and walk around their neighborhood asking for treats.

The sinister part of the celebration, and the part religious people have problems with, is what they see as the veneration of the Devil. Traditional costumes are of witches, devils, ghosts, and monsters, with black magic taking the place of religion.

Also, asking neighbors for treats isn't all that innocent; "trick or treat" means "either you give me some candy, or I'll play a dirty trick on you." The neighbor who refuses to give a treat is open to the trick, which could easily get out of hand on this night full of mischief.

The American Halloween lacks any religious or moral significance. It has nothing to do with the souls of our dearly departed; it has nothing to do with veneration or respect. Although many American families try to make Halloween into a party for children, the truth is that this "night of witches" is a celebration of nothing; a festival with no soul.

A few years ago, Halloween as such was unknown in Mexico. Today it is seen in every part of the country. In corner stores from Sonora to

un festival sin alma.

En años anteriores, no se conocía el Halloween en México; pero ahora se ve en todos lugares. En tienditas desde Sonora hasta Chiapas, desde Zacatecas hasta Veracruz, se pueden comprar los disfraces de Halloween. Donde antes pedían para la "calaverita", se escucha con creciente frecuencia a los niños pedir su "jalogüín" en las calles mexicanas.

El inmigrante mexicano a veces cree que el Halloween es lo mismo que el Día de los Muertos para su vecino americano; pero no es así. El americano no celebra el Día de los Muertos sino en las iglesias; pues la muerte, para él no es para celebrar, sino para evitar.

En contraste al vacío que es Halloween en Estados Unidos, el Día de los Muertos en México, el 2 de noviembre, es una celebración llena de significado. El mexicano acepta que la muerte es inevitable y se burla de ella. Compone "calaveritas" para sus amigos, para recordarles que a "la flaca" no se le engaña. Prepara su "pan de muerto" y sus calaveritas de azúcar, y prepara además una cena para el difunto, con todo lo que le gustaba en vida. Las ofrendas incluyen fotos del difunto, artículos personales como una taza que usaba, y por supuesto el cempasúchitl, la "flor de muerto", de color amarillo anaranjado.

El mexicano cree que en algún momento el alma de su ser querido se une a la fiesta. Se recuerda al difunto, con historias de su vida y se toca la música que le gustaba. Los niños llegan a conocer y respetar a sus antepasados y pierden su temor a la muerte. Los camposantos son decorados y la fiesta, a veces hasta con mariachi, se extiende hasta el lugar donde están enterrados los seres queridos. Los familiares llevan comida a la tumba, donde hacen merienda y pasan un rato "platicando" con el difunto. Los periódicos están llenos de recordatorios y las radios tocan complacencias para los muertos.

El Día de los Muertos en México es una fiesta de gran dignidad y profundo sentimiento. Para nada debe confundirse con Halloween. Sin embargo, conviene compararlos para conocer mejor el concepto de la muerte en sus respectivas culturas.

Comentamos sobre lo lamentable que es ver el Halloween extenderse por México; pero hay ocasión de esperanza; pues el Día de los Muertos al estilo mexicano, se extiende también por los Estados Unidos. Esperamos que algún día en el futuro, el Día de los Muertos le pueda dar al Halloween lo que más le falta: un alma.

Chiapas, from Zacatecas to Veracruz, you can buy Halloween costumes. Where before the kids would ask neighbors for something for the "little skull," made of paper or cardboard, now they sport American Halloween costumes and ask for their "jalogüín," hoping to fill little plastic pumpkins with candy.

The Mexican immigrant often thinks that Halloween is the same as the Day of the Dead for his American neighbor, but that's not the case. Americans don't celebrate the Day of the Dead, except for in churches, because death is not to be celebrated but rather avoided.

In contrast to the vacuum that is Halloween in the United States, the Day of the Dead in Mexico, November 2nd, is a celebration full of significance. The Mexican accepts that death is inevitable, and makes fun of it. He composes humorous verses for his friends, reminding them that death will take them down in the end. He makes his "bread of the dead" and little candy skulls for the kids, and he sets the table for the departed, including favorite foods and drinks, their pictures, and assorted personal items, like maybe a cup they used, an ashtray, etc. The decoration is completed with the Aztec "flower of the dead," the marigold.

Mexicans believe that at some moment during the night, the souls of the departed come back for a visit. They tell stories of the loved ones, and play the music they liked in life. The children come to know their ancestors and lose their fear of death. Gravesites are cleaned and decorated, and the fiesta, sometimes complete with live mariachi music, is taken to the graveyard. Family members take food and drink, and make a picnic by the grave, "chatting" with the dead about the year's events. Local newspapers are full of memorials and the radio plays requests for the dead.

The Day of the Dead in Mexico has a profound dignity and sense of meaning that could never be confused with Halloween. These holidays are, however, an interesting expression of how our two cultures deal with death.

We've expressed our dismay to see Halloween extend itself across Mexico. But there is cause for hope. The Day of the Dead, Mexican style, is also spreading across the United States. We hope that some day, the Day of the Dead will be able to give to Halloween what it needs the most : a soul.

Sugerencias para americanos

Les hacemos estas sugerencias a nuestros amigos americanos.

1. Primero, siempre primero, atienda al asunto del respeto. Salude a todos, hasta a los niños, cuando entre a un lugar. Pida permiso en vez de dar órdenes ("Con permiso; ¿podemos hablar aquí? ¿Nos sentamos?" etc.). Hay que respetar el silencio y el aspecto "cerrado" del hombre mexicano. Acepte con agradecimiento la comida o bebida que se le ofrezca (la única excusa para rechazar algo es que "me hace daño"). Cuando se tiene que criticar, hágalo con palabras positivas. Nunca, pero nunca, se burle, aunque sea bromeando, del mexicano. Cuidado con gestos que el mexicano verá como despectivos (tronar dedos, señalar con el dedo, chiflar, hablar a voz muy alta, etc.). El respeto es un concepto tan poderoso para el mexicano, que la misma palabra "respeto" tiene mucha fuerza.

2. El mexicano espera trato igual, no especial. No señale al mexicano simplemente por serlo ("El maestro mexicano es muy bueno"). Tampoco trate a todos los mexicanos como si pensaran igual; hay demócratas, republicanos, liberales, conservadores, etc., entre mexicanos así como entre cualquier otro grupo.

3. Atención al sentido de inferioridad del mexicano. No se incomode por ello, pues no es su culpa. No trate de solucionar esto, es algo que tiene una larga historia. Hable con calma y escuche con atención al mexicano. Evite declaraciones críticas; sea positivo.

Suggestions for Americans

We make the following suggestions to our American friends.

1. First, always first, attend to the matter of respect. Greet every person, including the kids, when entering a room. Ask permission rather than give orders ("excuse me, can we talk here? Would you like to have a seat?). Respect the silence and the closed nature of the Mexican man. Accept offers of food and drink, or give a medical excuse for rejecting it. When you must criticize, do it with positive statements. Never, but never, make fun of, or laugh at, a Mexican. Remember gestures that may be offensive (snapping and pointing fingers, whistling, speaking loudly, staring, etc.). The concept of respect is so powerful, in fact, that the very word "respect" is strong medicine in Mexico.

2. Mexicans expect equal, not special, treatment. Don't single out the Mexican just for being one ("That Mexican teacher is pretty good."). Remember that not all Mexicans think alike. As with any other group, there are republicans, democrats, liberals, conservatives, etc., among them, too.

3. Be aware of the sense of inferiority of the Mexican. Don't feel guilty about it; this comes from the deep past. Don't try to make up for it. Speak calmly and listen attentively. Avoid being too critical, and stay positive.

4. Respect gender and family relationships among Mexicans. Give special deference to the man of the house, who should be treated with respect at

4. Atienda a las relaciones de género y familia entre los mexicanos. Atención especial al hombre de la casa, quien debe ser respetado en todo momento. El hijo mayor es "papá" cuando éste está ausente, y la hija mayor es "mamá" cuando ésta no está. Cuidado con el hijo menor, el "mimado". Recuerde que el mexicano tiene alta tolerancia con sus niños cuando son pequeños, y les permite más, en comparación a los americanos.

5. Cambie su horario. El mexicano tiene otro sentido del tiempo que el americano, y es posible que no cumpla bien con fechas límites.

6. No trate de "expresar sus emociones", ni espere que así lo haga el mexicano.

7. Evite el fuerte apretón de manos y el contacto prolongado de ojos, que para el mexicano pueden significar una falta al respeto. Evite también el humor, que puede ser peligroso entre personas de distintas culturas, hasta que se entiendan perfectamente bien.

8. Baje el tono y volumen de su voz. Muchas veces el mexicano escucha "enojo" cuando en verdad no existe, simplemente porque el americano habla más fuerte.

9. Personalice su conocimiento. Hágase amigo de un mexicano y pídale que le enseñe todo lo posible sobre su cultura.

10. Aprenda a identificar estereotipos y evitar su uso. No se puede decir casi nada de *todos* los

all times. The oldest son is "dad" when Dad is absent, and the oldest daughter is "mom" when Mom isn't home. Careful with the youngest son, the "baby," no matter how old he is; he'll get all the breaks. Remember the high tolerance Mexicans show toward smaller children.

5. Stretch your time frame. The Mexican has a different perspective about time, and may not meet deadlines very well.

6. Don't be quite so open with personal information, or expect an open sharing of feelings with your Mexican neighbor.

7. Avoid the firm handshake and prolonged eye contact, which signal to the Mexican a lack of respect. Until you achieve a pretty good understanding, avoid humor, which can be dangerous between people from different cultures.

8. Lower the tone, and particularly the volume, of your voice. The Mexican will often hear anger where it doesn't exist, simply because the American operates at a higher volume.

9. Personalize! Make friends with a real, live Mexican and ask him to teach you everything he can about his culture.

10. Learn to identify stereotypes and avoid their use. Almost nothing can be said about *all* Mexicans.

11. Respect the language barrier, even for Mexicans

mexicanos.

11. Respete la barrera de idiomas que existe, aun para los mexicanos que supuestamente hablan inglés. Cuidado con bromas, palabras de doble sentido, y modismos americanos que pueden confundir a cualquier persona cuyo primer idioma no es el inglés.

12. Recuerde que la falta de inglés no significa una falta de inteligencia.

13. Haga un esfuerzo por pronunciar bien los nombres de sus vecinos mexicanos.

14. Tome en serio la necesidad de que haya diversidad entre empleados y compañeros dentro de su trabajo o profesión, así como entre sus amigos. Resista la tendencia de rodearse con "similares" y recuerde que los "diferentes" son los que nos dan fuerza y nos hacer crecer.

Al principio y al final de todo está el respeto. Cuando hay dudas, siempre es recomendable seguir la "regla dorada" de tratar a otros como se espera que lo traten a uno. Buena suerte.

who supposedly speak English. Careful with
jokes, double meanings, puns, and American
slang, which will confuse anyone whose first
language is not English.

12. Remember that a lack of English does not
    indicate a lack of intelligence.

13. Make an effort to pronounce correctly your
    Mexican neighbor's name.

14. Take seriously the need for diversity among your
    friends and co-workers. Resist the temptation to
    surround yourself with people just like you, and
    remember that the "different" ones among us
    give us strength and help us grow.

At the beginning and at the end of everything is the concept of respect. When in doubt, apply the Golden Rule, and treat others as you
would be treated. Good luck.

Sugerencias para mexicanos

Les hacemos estas sugerencias a nuestros amigos mexicanos.

1. El americano es una persona que respeta la fuerza. La persona *assertive* (positivo, que se expresa con fuerza) es visto con buenos ojos, mientras que le tiene lástima a la persona tímida. Evite señales de timidez si quiere ser tomado en serio.

2. Al conocer a alguien y darle la mano, responda con igual fuerza en el apretón de manos. El americano menosprecia al que le da la "mano de pescado".

3. Trate de mirarle un poco más a los ojos al americano. El que evite el contacto de ojos, para el americano, es porque esconde algo, miente, es inseguro, o le tiene miedo.

4. Recuerde que el alto volumen y tono de voz del americano es natural para él, y no significa que esté enojado con usted ni que le esté faltando al respeto.

5. Tenga pendiente que la "hora americana" es diferente; que el americano respeta cabalmente sus horarios y fechas límites de hacer las cosas. Llegar tarde a una cita nunca es recomendable, pues señala una falta al respeto.

6. Por la fuerza de su comportamiento, parece que el americano es una persona arrogante, que se cree mejor que usted. Pero la verdad es que el americano cree que "todas las personas fueron creadas iguales" y si usted insiste en sus derechos, el americano se los respetará.

Suggestions for Mexicans

We make the following suggestions for our Mexican friends.

1. The American respects strength. The assertive person is seen positively, while the timid person is pitied. If you want to be taken seriously, avoid the appearance of timidity.

2. When meeting people, respond in kind with the firmness of the handshake. The American is contemptuous of the "fishy handshake."

3. Try to look people in the eye a little more often. The American is suspicious of the person who avoids eye contact, thinking that it signifies fear, insecurity, or dishonesty.

4. Remember that the American's louder voice is natural for him, and doesn't mean that he's disrespecting you or is angry with you.

5. Be aware that "American time" is different. Americans respect their schedules and time limits. Arriving late for an appointment is never advisable, because it shows a lack of respect.

6. The forceful nature of his behavior would make it seem that the American is an arrogant person who thinks he's better than you. But the American believes that "all men are created equal," and if you stand your ground, he will respect your rights.

7. Recuerde que el americano respeta los derechos
   del individuo antes que el derecho de la familia.
   Los derechos de los niños a la seguridad y a la
   educación son fuertemente respaldados, a veces
   en contra de los deseos de los mismos padres de
   familia.

8. La firma del americano es su promesa. Cuando
   usted firma su nombre, es porque se está com-
   prometiendo fuertemente a cumplir con algo; por
   eso advertimos que nunca firme su nombre sin
   primero leer y entender lo que está firmando.

9. El americano se expresa con muchos términos
   indefinidos; o sea, que a veces es difícil para el
   mexicano saber exactamente lo que quiere su
   vecino americano, que es capaz de expresarse
   con *I don't know, maybe, who knows? could
   be, you might want to, I don't care,* y otras
   expresiones similares. Hay que pedirle aclaracio-
   nes hasta que se entienda perfectamente bien
   para evitar problemas.

10. El americano a veces usa el humor en situacio-
    nes que, para el mexicano sería inapropiado.
    Muchos americanos bromean "de más", y a veces
    hasta se burlan de ellos mismos. Si usted se
    siente incómodo ante el humor de su vecino
    americano, explíquele que simplemente no lo
    entiende bien. Hay que entender que, por lo
    general, el americano no se está burlando de
    usted, sino que es su manera de ser.

Al principio y al final de todo, está el respeto. Cuando haya dudas,
siempre es recomendable seguir la "regla dorada" de tratar a otros como
se espera que lo traten a uno. Buena suerte.

7. Remember that the American respects the rights
   of the individual before the rights of the family.
   The rights of children to security and education
   are firmly supported, sometimes against the
   wishes of their parents.

8. The American's signature is his promise. When
   you sign your name, the American will hold you
   to your promise; that's why you should never
   sign anything without first reading and understanding what you're signing.

9. The American often expresses himself in indefinite terms. Sometimes it's difficult to know
   exactly what your American neighbor wants,
   when he says things like *I don't know, maybe,
   who knows? could be, you might want to, I
   don't care,* and other uncertain terms. Keep
   asking for clarification until you understand what
   is being said.

10. The American sometimes uses humor in situa-
    tions that, for the Mexican, would be inappropri-
    ate. Americans often joke too much, and even
    make fun of themselves. If you feel uncomfort-
    able because of the humor of your American
    neighbor, tell him you don't understand it. Don't
    take it personally; the American probably isn't
    laughing at you. That's just his way.

At the beginning and at the end of everything is the concept of respect. When in doubt, apply the Golden Rule, and treat others as you
would be treated. Good luck.

Appendices

Apéndices

You see, dear? They let him
go just because
he said 'Im Sorry.'"

"Yes, dear. Here, they use
'I'm sorry, I'm sorry'
for everything."

Appendix 1: The language barrier

English is a devilishly difficult language to master; especially if your native tongue is logical, concise, and consistent, like Spanish.

In Spanish, each vowel has only one sound. Since the letter "e" has a minor variation, let's give it two sounds, for a total of six vowel sounds in the entire language.

To count up the English sounds, we'd probably need a calculator. The letter "e" alone has eight possibilities. Amazing, eh?

The Latino student faces a bewildering array of sounds when he studies English. It can be truly daunting.

Our student's eyes glaze over as he tries to read the following sentence (with apologies to Dr. Seuss): "The tough guy, deep in thought, ploughs through the dough." Five different ways to pronounce the letter group, "ough." Pretty rough, huh?

But wait! That's nothing! How about five different letter groups to pronounce the same sound? Easy! "I wait 'till eight, then I go straight to the plate; the food is great!"

Our fading student wonders why "so" and "sew" should sound alike, and if they do, then why don't "no" and "new?" He begins to suspect that English speakers take a perverse delight in the oddities of their language.

And in fact, this is the case. E-mails and faxes abound on the subject of "Why English is One of the Most Difficult Languages to Learn," containing strange questions like, "If you take the wings off a fly, do you call it a walk?" and pronouncements like "Get the lead out and lead!"

English is a peculiarly adaptable lingo. If we don't have a word for something, why, we just borrow one from wherever we like, and call it our own. We don't have an Academy of the Language, as they do in France and Spain, to set the rules.

To the Spanish speaker, English has a maddening flexibility. For example, we can take almost any noun and make a verb out of it. Thus, we "book" the criminal, "house" a guest, and "tree" the cat.

That would be a scandalous thing to do in Spanish. At this point we've probably lost our student.

However, there are similarities. The languages are, after all, cousins. They have many words in common, and a basic structure that seems, at least, related.

The relationship is evident in the case of "cognates," words that are spelled the same and have the same meaning in both languages. There are

"exact" cognates, like "doctor;" "near" cognates, like "meter" and *metro*; and "indirect" cognates, like "speed" and *velocidad*. There are hundreds, if not thousands, of them!

This would be fine if it weren't for the dreaded "false cognates," words that look the same but mean something different. *Asistir*, for example, is not "to assist," but "to attend." *Atender* is not "to attend," but "to assist." An *aplicación* is something applied, like a poultice; an application for a job would be a *solicitud*. *Actual* is not "actual," but "current." *Éxito* is not the exit, but rather "success." And so on.

A particularly troublesome false cognate is *embarazar*, which is not "to embarrass," but rather "to make pregnant." Embarazar was the culprit that ruined Parker Pens' advertising campaign in Mexico several years ago. "It won't leak in your pocket and *embarazar* you," proclaimed the ads.

It also created quite a stir in our local school district, when a third grade teacher assigned her students to write about "something that embarrassed you." Latino parents were not amused by an assignment to write about something that "made you pregnant."

However, in spite of the occasional false one, cognates are so useful to the language learner, that, where one doesn't exist, people will often invent one, which, amazingly, will probably be understood! Invented cognates occupy the realm of "Spanglish," which one day in the far future will be the one language of the American continent.

In the meantime, purists on both sides of the border fight a losing battle against the growth of Spanglish. Thus we have people eating *lonche*, driving a *pícap*, joining a *ganga*, and finding a *beibiciri* for the kids.

False and invented cognates are the main culprits in translation disasters, but not always. Sometimes it's the context, the unseen connection that only a native speaker will make, that trips us up. The well-known flop of the Chevrolet Nova in Latin America was probably due to the fact that "no va" in Spanish means "it won't go." Similarly, the Ford Pinto didn't do very well in Brasil, where "pinto" may also mean "tiny male genitals."

The language barrier must be respected as a formidable obstacle, even for those who speak both languages. I had many interesting discussions with my co-worker Jaime, a Salvadoran whose English was pretty good, but who constantly puzzled over how a house could burn *up* and burn *down* at the same time, and why we get *in* a car but *on* a bus, and so on.

On one occasion, I greeted Jaime by saying, "Hi guy, how's it going?" He angrily asked me not to call him "guy." Surprised, I asked why not. He

said because he was not "guy," and wrote out the word, "gay," which sounds exactly the same if you're thinking in Spanish.

English speakers have a crazy language that seriously challenges the person who tries to master it. Perversely, we like it that way.

Appendix 2: Latino Surnames

We note inconsistencies in the reports from local law enforcement agencies, funeral homes, and others, with respect to the proper use of Latino surnames. In most cases, the problem is minor; but in a few instances, it could lead to a serious or embarrassing misidentification.

The following basic rules in the use of Latino surnames, if applied consistently, would help to resolve this problem.

1. Use the entire name on first reference: Juan Sánchez López.

2. Unless the person prefers it, do not use hyphens between names; this is not a Latino practice.

3. On second reference:

    A. Use both last names. While it is acceptable to use the first last name only, especially after "Mr." or "Mrs.," consistent use of both last names will help to avoid confusion.

    B. When two last names are given, never use the last one alone. This is the mother's last name, and does not legally (or socially) identify the person.

    C. For women, use "Mrs.," "Miss," or "Ms." with the first last name of the husband or father.

    D. Refer to a married couple or family by the husband's first last name; never use both last names to apply to both persons: "The Velazco family;" "The Velazcos."

    E. Traditional practice is for the wife to use her maiden name, dropping the mother's last name, and adding the husband's first last name prefaced by "de." Mexico's First Lady is Marta Sahagún de Fox.

    F. The equivalent of "Mrs. John Smith" does not exist in Spanish. Always use the woman's first name: "Mrs. Elena Sánchez." Without "Mrs.," use maiden name even if she's married: "Marta

Sahagún, wife of Vicente Fox."

G. Don't abbreviate last names. Juan Delgado Rodríguez should not be referred to as "Juan D. Rodríguez."

4. Filing should be done using both last names when given. Vicente Fox Quesada should be filed under "F," as "Fox Quesada, Vicente."

5. Occasionally a second name (our equivalent of a middle name) is confused with a last name. For example, José Ángel López is using only one last name; on second reference he would be "López."

EXAMPLE: José Luis Sánchez Delgado. Himself: Sánchez Delgado, Mr. Sánchez; His Wife: Elvia Ramírez, Mrs. Elvia Sánchez, Mrs. Sánchez; His Children: The Sánchez children, Freddy Sánchez, María Sánchez; Husband and wife: Mr. & Mrs. Sánchez; His File: Sánchez Delgado, José Luis. Mr. Sánchez should never be referred to as "Mr. Delgado," or "José S. Delgado." No one would recognize him by that name.

A note on the use of hyphens: Although the hyphenated last name is not a traditional Latino practice, it may become necessary, if the Latino is to preserve his correct name. Computerized records at the Social Security Administration and driver's license outlets, among others, read the last name as the official file name. Thus, Mr. Sánchez in the example above would become Mr. Delgado. This happens with such frequency that many Latinos have resorted to the use of hyphenated last names: Sánchez-Delgado, for example, will be read by the computer as a single name.

About the Author

James V. (Jim) Tiffany is part owner and Managing Editor of El Mundo, a Spanish language weekly newspaper in Washington state. His connection with Mexico began at the age of ten, when his family moved there, and has been maintained over the years through his work with Mexican immigrant families in social, medical, and educational programs.

He served in the Peace Corps for two years, working as a teacher trainer for rural elementary school teachers in the Dominican Republic.

Jim has a B.S. from Oregon State University and an M.P.A. from San Diego State. He has five children and lives with his wife Rosemary, a kindergarten teacher, in Wenatchee, Washington. When not busy with "real work," Jim and Rosemary give Latino cultural awareness presentations in the community.

Sobre el autor

James V. (Jim) Tiffany es parte dueño y director de El Mundo, un semanario en español en el estado de Washington. Su conexión con México comenzó a la edad de diez años, cuando su familia se mudó a ese país, y se ha mantenido a través de los años, por medio de su trabajo con programas de salud, educación y servicios sociales para familias inmigrantes de México.

Sirvió dos años en el Cuerpo de Paz, trabajando como entrenador de maestros de escuelas primarias rurales en la República Dominicana.

Jim tiene un título B.S. de Oregon State University, y un M.P.A. de San Diego State. Tiene cinco hijos y vive con su esposa Rosa María, una maestra de kindergarten, en Wenatchee, Washington. cuando no están ocupados con su "verdadero" trabajo, Jim y Rosa María dan presentaciones en la comunidad sobre las relaciones culturales.